I TY możesz być super tatą

MOJEMU SUPER TACIE

©Dorota Zawadzka
Wydanie I ©TVN
Warszawa 2007

Autor tekstu: **Dorota Zawadzka**
Realizacja i opieka nad projektem:
I Ty możesz być supertatą ze strony TVN:
Małgorzata Łupina, Bożena Samojluk-Ślusarska,
ze strony autorki: **Robert Myśliński**

Redakcja:
Jacek Kowalczyk

Korekta:
Hanna Szamalin

Opracowanie graficzne, skład i łamanie:
mamastudio

Fotografie:
Marta Pruska

Fotografie Doroty Zawadzkiej na okładce
i na stronach: 8, 25, 57, 75, 117, 121, 129, 151, 152:
TVN/ Łukasz Murgrabia

TVN SA
02-952 Warszawa, ul. Wiertnicza 166
Tel. (22) 856 60 60; faks; (22) 856 66 66
www.tvn.pl

druk i oprawa
Druk-Intro SA
Inowrocław

ISBN 978-83-88498-20-6

Dorota Zawadzka

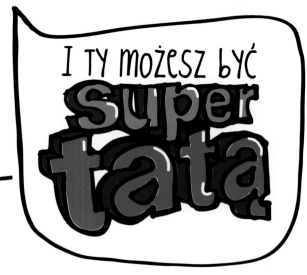

telewizja tvn

WSTĘP

CZEŚĆ TATO!
★ BĘDĘ TATĄ - CZERPANIE RADOŚCI Z BYCIA RODZICEM
★ SYN - NA RYBY I NA MECZ
★ CÓRKA - MAŁA KSIĘŻNICZKA
★ ZADANIE DO WYKONANIA - UKSZTAŁTOWAĆ NOWEGO CZŁOWIEKA

JESTEŚMY W CIĄŻY
★ JAK SIĘ ZMIENIA TWOJA KOBIETA?
★ ONA TEŻ SIĘ BOI
★ CO SIĘ DZIEJE W JEJ BRZUCHU? CO SIĘ DZIEJE W TWOJEJ GŁOWIE?
★ SZKOŁA RODZENIA
★ RODZIĆ - RAZEM CZY OSOBNO?
★ PRZYGOTOWANIE NA PRZYJĘCIE NOWEGO DOMOWNIKA

CZEGO SIĘ BOISZ GŁUPI...?
★ NOWE OBOWIĄZKI
★ OGRANICZENIE WOLNOŚCI I NIEZALEŻNOŚCI
★ JUŻ NIE JESTEM NAJWAŻNIEJSZY
★ DZIECKO TO TAKIE... NIEMĘSKIE
★ PO CO NAM TO BYŁO?
★ WZORCE RODZINNE

MAŁE JEST PIĘKNE

★ NASZE DZIECKO ROŚNIE - PIERWSZE DNI I TYGODNIE
★ PUŁAPKI PIERWSZYCH TYGODNI
★ OJCOWSKIE BHP I MATCZYNE LĘKI
★ TO NIE KONIEC ŚWIATA

MÓJ JEST TEN KAWAŁEK PODŁOGI...

★ ORGANIZACJA ŻYCIA
★ DAJ KOBIECIE ODPOCZĄĆ
★ SAM ZADBAJ O SWÓJ RELAKS
★ NIE ZAPOMINAJ O SWOICH PASJACH, PRZYJACIOŁACH I STARSZYM DZIECKU

SPOKOJNIE, TO TYLKO AWARIA...

★ W DOMU
★ W SKLEPIE
★ W PIASKOWNICY
★ U ZNAJOMYCH
★ NA WAKACJACH
★ W PRACY

OJCIEC NA CO DZIEŃ
★ KRÓTKI KURS GOTOWANIA...
... UBIERANIA
... PIERWSZEJ POMOCY
... NIEDAWANIA SIĘ
... ZABAWY

W CO SIĘ BAWIĆ?
★ DZIECKO PONIŻEJ 1 ROKU
★ OD 1 ROKU DO 2 LAT
★ OD 3 DO 5 LAT
★ OD 5 DO 7 LAT
★ WIOSNA, LATO, JESIEŃ, ZIMA
★ W DOMU I NA SPACERZE

TATA CZASEM UMIE LEPIEJ
★ POZNAJ SWOJĄ TAJNĄ BROŃ
★ KONSEKWENCJA I SPOKÓJ
★ KRÓTKO, JASNO I NA TEMAT
★ OSTROŻNIE, ALE BEZ PRZESADY
★ POMYSŁY I ZABAWY

TATO - JESTEŚ SUPER!
★ EWOLUCJA RELACJI Z DZIECKIEM
★ NASI OJCOWIE (WZÓR I ANTYWZÓR)

WSTĘP

WITAM WSZYSTKICH OJCÓW, KTÓRZY ZDECYDOWALI SIĘ PRZECZYTAĆ
TĘ KSIĄŻKĘ! NAZYWAM SIĘ DOROTA ZAWADZKA I PROWADZĘ W TVN
PROGRAM „SUPERNIANIA". W TYM PROGRAMIE POMAGAM RODZINOM
W ZMAGANIU SIĘ Z PROBLEMAMI WYCHOWAWCZYMI. NA SWOJEJ DRODZE
SPOTYKAM RÓŻNYCH OJCÓW. ZABIEGANYCH, ZAPRACOWANYCH,
ODWRÓCONYCH OD RODZINY, ZNIECHĘCONYCH. ALE I FANTASTYCZNYCH,
POMYSŁOWYCH, OTWARTYCH, KOMUNIKATYWNYCH.
TAKICH, KTÓRZY CHCĄ, A NIE UMIEJĄ, TAKICH, KTÓRZY UMIEJĄ, A NIE MAJĄ
CZASU, I TAKICH, KTÓRZY...

★ NIE CHCĄ.

CZEGO???
NO WŁAŚNIE - BYĆ OJCEM. TAK, TAK. MAJĄ DZIECI, ALE NIE
SĄ OJCAMI, TATINKAMI, TATKAMI CZY TATUSIAMI.
KIEDY MĘŻCZYZNA ZACZYNA BYĆ TATĄ? ODPOWIEDZI NA TO PYTANIE JEST
ZAPEWNE TAK WIELE, JAK WIELU JEST OJCÓW.
JEDNI Z WAS MÓWIĄ, ŻE OJCEM ZOSTAJE SIĘ, KIEDY PLEMNIK ŁĄCZY SIĘ
Z KOMÓRKĄ JAJOWĄ, DRUDZY, ŻE OD NARODZIN, JESZCZE INNI, ŻE DZIEJE
SIĘ TO W CHWILI, KIEDY SŁYSZĄ OD SWOJEGO DZIECKA ♡TATA♡.
SĄ I TACY, KTÓRZY NIE WIEDZĄ, JAK NA TO PYTANIE ODPOWIEDZIEĆ.
WSZYSTKICH JEDNAK ZAPRASZAM DO LEKTURY. MOŻE DZIĘKI TEJ KSIĄŻCE
BĘDZIE WAM ŁATWIEJ? JESTEM PRZEKONANA, ŻE TAK!

POZDRAWIAM
DOROTA ZAWADZKA

BĘDĘ tatą

CZERPANIE RADOŚCI Z BYCIA RODZICEM
SYN - NA RYBY I NA MECZ
CÓRKA - MAŁA KSIĘŻNICZKA
ZADANIE DO WYKONANIA
- UKSZTAŁTOWAĆ NOWEGO CZŁOWIEKA

ISTNIEJE POGLĄD, ŻE ABY STAĆ SIĘ PRAWDZIWYM
MĘŻCZYZNĄ, NALEŻY ZROBIĆ W ŻYCIU TRZY RZECZY:
1. ZASADZIĆ DRZEWO,
2. WYBUDOWAĆ DOM,
3. mieć SYNA.
DLA POTRZEB TEJ KSIĄŻKI SPRÓBUJĘ NIECO
ZMODYFIKOWAĆ OSTATNIE Z ZADAŃ DLA PRAWDZIWE-
GO MĘŻCZYZNY. ZAMIENIĘ JE NA: MIEĆ DZIECKO,
A NAWET: BYĆ OJCEM.
★SuperoJcem.♡

Po pierwsze, dlatego że nie jest ważne, czy dziecko to Małgosia, czy Jaś. A po drugie, że „mieć dziecko" a „być ojcem" to istotna różnica. Tak samo jak między tylko „mieć" i naprawdę „być". Chodzi przecież o to, aby czuć się i być dumnym z faktu stania się tatą.

Ci z Was, którzy już mają dzieci, zapewne pamiętają, jak czuli się w poszczególnych etapach przeistaczania się z nieojca w Ojca. Oczywiście, w sensie biologicznym ojcem zostaje się z chwilą zapłodnienia komórki jajowej przez dziarskiego plemnika. Ale to nie wystarcza, by być tatą.

Czeka Was, Panowie, długa, różnorodna i wyboista droga. Takie Grand Prix z etapami szybkimi i łatwymi, trudnymi kawałkami górskimi i z pełnymi wyzwań nocnymi oesami. Sami jednak decydujecie, który jest który.

Te etapy to:

★ DECYZJA O TYM, ŻE BĘDZIECIE SIĘ STARAĆ O POWIĘKSZENIE RODZINY

(CZASEM TEN ODCINEK BYWA POKONANY MIMOCHODEM),

★ WIADOMOŚĆ O CIĄŻY WASZEJ PARTNERKI,

★ RELACJE Z PARTNERKĄ DO CZASU PORODU,

★ CUD NARODZIN, PIERWSZY FIZYCZNY KONTAKT Z DZIECKIEM,

★ NOWY CZŁOWIEK W DOMU I CO Z TEGO WYNIKA,

★ WYCHOWYWANIE DZIECKA WSPÓLNIE Z PARTNERKĄ,

★ STANIE SIĘ OPIEKUNEM, POWIERNIKIEM DZIECKA, A NASTĘPNIE JEGO PRZYJACIELEM.

Zacznijmy jednak od początku, czyli od tego, dlaczego w ogóle warto być ojcem.

PO PIERWSZE: ABY STAĆ SIĘ RODZINĄ.

Związek dwojga ludzi kochających się, szanujących, dzielących wspólnie troski i radości życia jeszcze rodziną nie jest. Zazwyczaj stanowi on podstawę rodziny. Przez „rodzinę" rozumie się dwójkę partnerów i wychowywane potomstwo. To właśnie dzięki dzieciom stajemy się rodziną. Natura wymyśliła sobie, że nasz gatunek (Homo sapiens) łączy się w pary, by wspólnie opiekować się swym potomstwem i dbać o nie.

PO DRUGIE: ABY TCHNĄĆ W NASZE ŻYCIE NOWY SENS.

Dziecko daje nam motywację do dalszego rozwoju. Często słyszę o tym, jak rodzice „poświęcają się" dla swoich dzieci. Nie zapominajmy jednak, że to dzięki naszym dzieciom staramy się lepiej pracować, by poprawić swoją sytuację materialną. W rezultacie rośnie nasze doświadczenie, awansujemy. Czasem dopiero, patrząc na nasze dzieci, spostrzegamy luki w naszym wykształceniu.

DZIECI MOTYWUJĄ NAS, ABY SIĘ DOKSZTAŁCAĆ I USPRAWNIAĆ INTELEKTUALNIE. CHOĆBY POPRZEZ ZADAWANE W NIESKOŃCZONOŚĆ PYTANIA: JAK? PO CO? DLACZEGO? CO TO?

PO TRZECIE: ABY POZNAWAĆ NOWE UCZUCIA I EMOCJE.

Troszczymy się o dzieci, jesteśmy z nich dumni, cieszymy z osiąganych przez nie sukcesów. Jesteśmy zadowoleni z siebie samych, gdy uda nam się doradzić czy dopomóc dziecku w rozwiązaniu jakiegoś problemu albo wesprzeć je w codziennych kłopotach.

Na nowo uczymy się empatii, czyli współodczuwania uczuć i emocji innych. Dzięki dziecku dowiadujemy się o sobie wielu nowych rzeczy. Odkrywamy siebie na nowo.

PO CZWARTE: ABY ZNÓW WYCIĄGNĄĆ Z PUDEŁ NASZE ZAKURZONE ZABAWKI.

Przypominamy sobie ulubione w dzieciństwie zabawy. Nieważne, czy mamy córkę, czy syna. Dziecko do pewnego wieku zawsze chętnie będzie spędzało z nami czas. Mamy więc szansę, aby się cofnąć w czasie. Bycie rodzicem odmładza. Wracają przedszkolne i szkolne kłopoty. Strach przed klasówką czy powrotem rodziców z wywiadówki.

Mamy szansę stania się wzorem dla własnego dziecka. Wspólne spędzanie czasu na uczeniu córki lub syna swoich życiowych pasji to najlepsze lekarstwo na tzw. kryzys wieku średniego.

PO PIĄTE: ABY ODNOWIĆ I PRZENIEŚĆ W INNY WYMIAR NASZ ZWIĄZEK.

Czasem z biegiem wspólnie spędzonych miesięcy i lat uczucie, które trwa między nami, zaczyna nieco „przysypiać". Trzeba znowu rozmawiać, ustalać, budować (a nie burzyć). Trzeba planować i wspólnie czuć dumę.

Czasem pojawia się lęk o przyszłość dziecka, ale i to dobrze jest przeżywać razem.

JAK GROM Z JASNEGO NIEBA

Przypuśćmy, że właśnie się dowiedziałeś, że Twoja partnerka jest w ciąży. Prawdopodobnie doświadczasz silnego wzruszenia i emocji. Być może jedynymi przyczynami są niepohamowane szczęście i radość. To wspaniale, gratuluję! Nie zawsze jednak tak się zdarza. Często świeżo upieczonym ojcem targają inne uczucia. Szczególnie gdy zostaje nim po raz pierwszy.

JEŚLI OPANOWAŁY CIĘ:
★ SZOK, PANIKA,
★ UCZUCIE PRZYTŁOCZENIA NADCHODZĄCYMI I NIEUCHRONNYMI WYDARZENIAMI,
★ STRACH I POCZUCIE, ŻE NIE JESTEŚ JESZCZE GOTÓW NA OJCOSTWO,
A NA DODATEK WCALE NIE PLANOWAŁEŚ POTOMSTWA (TAK JEST MNIEJ WIĘCEJ W POŁOWIE PRZYPADKÓW), TO INTENSYWNOŚĆ POWYŻSZYCH ODCZUĆ ROŚNIE W DWÓJNASÓB, LECZ MIMO TO NIE MARTW SIĘ. NIE JESTEŚ OSAMOTNIONY.

Czeka Cię okres zmian. Ogromnych zmian w życiu. Nie więc dziwnego, że masz mieszane uczucia. Skoro właśnie się dowiedziałeś, że zostałeś tatusiem, to nie walcz ze swoimi emocjami samotnie. Masz przecież obok siebie kobietę swojego życia, która właśnie teraz staje się matką Waszego dziecka. Ona też się boi, ma prawo mieć wątpliwości, również co do Ciebie.

Najlepszą metodą zmniejszenia stresu związanego z wiadomością o ojcostwie jest wcześniejsze przyswojenie sobie kilku ważnych wiadomości.

Wiedza ta pomoże Ci oswoić się z faktem, że Twoja kobieta jest w ciąży. Przygotować się do przyjścia na świat dziecka. Najlepiej, gdy wiedzę tę zgłębiacie razem. Dzięki temu, kiedy nadejdzie ten dzień, unikniecie szoku, stresu i większości negatywnych emocji.

DIABEŁ TKWI W SZCZEGÓŁACH

W pierwszych tygodniach ciąży ojcostwo może Ci się wydawać szczególnie przytłaczające. Być może, myśląc o nim, mimowolnie przewidujesz najgorszy rozwój wypadków. Wydaje Ci się, że nie dasz rady, kobieta już nie będzie Cię chciała, Twoje dotychczasowe życie na zawsze się kończy, od teraz czeka Cię tylko praca na rzecz podstawowej komórki społecznej.

Jeśli nie będziesz chciał i nie zrobisz nic, aby to zmienić, to rzeczywiście może się tak stać.

Proponuję Ci jednak, abyś zamiast z góry biadolić, dowiedział się, jak do realizacji tego smutnego scenariusza nie dopuścić. Powszechnie uważa się, że rodzicielstwo jest rolą życiową, w której najlepiej realizują się kobiety. Ale to grube uproszczenie.

U KAŻDEGO ZUCHA PIERWSZA JEST DZIEWUCHA, CZYLI CÓRECZKA TATUSIA

Być ojcem to nie lada wyzwanie, być ojcem córki to wyższa szkoła jazdy. To rola bardzo wdzięczna i niewdzięczna zarazem. To ta relacja uczy małą dziewczynkę, jaką kobietą stać się w przyszłości. Kobietą otwartą, niebojącą się mężczyzny i miłości, czy nieśmiałą i lękliwą, zależną od mężczyzny.

Złożone interakcje ojciec – córka to pierwsze w życiu każdej kobiety doświadczenia, które uczą ją relacji z mężczyzną. To tata jest pierwszym recenzentem wyjściowej sukienki, to w jego oczach mała dziewczynka po raz pierwszy widzi męski podziw. Podczas codziennych obserwacji, interakcji i wspólnego spędzania czasu córka utrwala sobie wzorzec mężczyzny, bazując na wyobrażeniu o osobie własnego ojca. To od taty czerpie wzorce, to przy nim uczy się szacunku dla płci przeciwnej (lub braku takiego szacunku). I to dzięki niemu dochodzi do wniosku, że pewne rzeczy są takimi, na jakie mama pozwoliła, a do jakich ona sama we własnym domu na pewno nie dopuści.

Równie ważną rolę odgrywa córka w życiu mężczyzny. To jedyna kobieta, o której może on powiedzieć z całym przekonaniem, że chce ją mieć przy sobie przez całe życie. Kiedy na świecie pojawiają się ich małe kobietki, tatusiowie na skutek nagłego uwielbienia kompletnie tracą głowy na ich punkcie. I wtedy zachowują się tak, jak nigdy wcześniej i o co sami by się nawet nie podejrzewali. Z radością zbierają kwiatki na łące i łapią kolorowe motylki. Z zapartym tchem malują kolorowanki i składają skomplikowane origami. Potrafią godzinami bawić się lalkami i w szkołę. A wszystko po to, aby zobaczyć na twarzyczce swojej małej księżniczki uśmiech uwielbienia, jakim nigdy przedtem i nigdy potem nie obdarzy ich żadna inna kobieta na świecie.

Bo dla swojej małej córeczki tata jest czarodziejem, który potrafi zrobić wszystko. A co najważniejsze, wie wszystko. Dla córki tatuś jest najlepszy, najsilniejszy, najmądrzejszy i najprzystojniejszy. Jest SUPERTATĄ. Ale to kredyt zaufania. Nie zmarnujcie tego.

Niestety, w życiu czas wszystko zmienia i zmieniają się również potrzeby oraz oczekiwania dorastających małych dziewczynek swoich tatusiów. W życiu każdego ojca i każdej córki przychodzi moment na zmiany.

Dziewczynki stają się kobietami. Dzieje się to szybciej, niż każdy tata by chciał. Przychodzi czas, gdy ojcowie muszą pozwolić odejść swym największym skarbom. I to, co niedawno wydawało się wyciągniętym z najczarniejszych czeluści koszmarem, z dnia na dzień staje się ojcowską rzeczywistością.

Miejsce najważniejszego do niedawna mężczyzny w życiu kobiety zajmuje jakiś obcy „nie wiadomo kto". To on teraz przytula, zasypuje pocałunkami ciągle jeszcze malutką – dla tatusia – córeczkę. Młody mężczyzna wkracza do ojcowskiego domu, aby odebrać mu jego „własność". A Skarb, nie dość, że bez chwili wahania poddaje się, to jeszcze by się najchętniej sam zapakował i sam wywiózł do domu tego OBCEGO FACETA.

To chyba jeden z trudniejszych momentów dla każdego ojca. Pozwolić odejść swojej córce, nie pozostawiając jej w przekonaniu, że chwila jej wielkiego szczęścia jest równocześnie chwilą jego wielkiego smutku.

PIĘĆ PRZYKAZAŃ DLA SUPEROJCA CÓRKI:

★1. W OBECNOŚCI CÓRKI CAŁUJ I PRZYTULAJ JEJ MAMĘ – POKAZUJESZ JEJ MIŁOŚĆ I DBAŁOŚĆ O KOBIETĘ.

★2. DOCENIAJ CHARAKTER I UMIEJĘTNOŚCI CÓRKI TRZY RAZY CZĘŚCIEJ, NIŻ KOMPLEMENTUJESZ JEJ WYGLĄD – WYCHOWASZ AMBITNĄ I PEWNĄ SIEBIE KOBIETĘ, A NIE PUSTĄ LALKĘ.

★3. PRZYTULAJ JĄ, KIEDY PŁACZE, UCZYSZ JĄ, ŻE MOŻE MIEĆ OPARCIE W MĘŻCZYŹNIE.

★4. CZYTAJ JEJ KSIĄŻKI NA DOBRANOC.

★5. CZASEM POMÓŻ JEJ SPRZĄTNĄĆ POKÓJ. POMAGANIE W OBOWIĄZKACH POKAZUJE, ŻE JESTEŚ Z NIĄ.

Z kolei chłopcy potrzebują prawdziwych ojców, a nie tylko tatusiów, którzy zapewnią im „chleb powszedni", ustalą reguły i każą posprzątać garaż.

Prawdziwy tata zagra w piłkę, zorganizuje podchody w lesie, opowie bajkę na dobranoc i posiłuje się na dywanie. Ale nim to nastąpi, to także przewinie i wykąpie noworodka, wstanie w środku nocy do krzyczącego niemowlaka i pójdzie na spacer z dzieckiem w wózku.

Nie jest łatwo być dobrym tatą, bo trzeba na to poświęcić dużo czasu, uwagi i zaangażowania. Życie to seria wspaniałych, ciekawych i mocnych przeżyć, ale to właśnie zbiór tych momentów zmienia chłopca w mężczyznę.

Ten zbiór magicznych chwil, ich jakość, zależy od Ciebie właśnie. To dzięki tacie świat staje się wspanialszy.

ŻADEN OJCIEC NIE ŻAŁUJE TEGO, ŻE ZBYT WIELE CZASU SPĘDZAŁ ZE SWYM SYNEM, A ZA MAŁO W PRACY. ZA TO POCZUCIE ŹLE USTAWIONYCH PRIORYTETÓW CZĘSTO PRZEŚLADUJE SPEŁNIONYCH ZAWODOWO TATUSIÓW.

PIĘĆ SUGESTII DLA SUPEROJCÓW SYNÓW:

★ OPOWIADAJ MU O TYM, JAKI TY BYŁEŚ W JEGO WIEKU. ALE NIE BUDUJ SOBIE POMNIKA.

★ RÓBCIE WSPÓLNIE WIELE RZECZY I TWOICH, I JEGO.

★ BĄDŹ CZUŁY DLA JEGO MAMY, TAKŻE W JEGO OBECNOŚCI.

★ MÓW MU, ŻE GO KOCHASZ TAK CZĘSTO, JAK TYLKO ON JEST W STANIE TO WYTRZYMAĆ.

★ MÓW MU O TYM, CO DOBRZE ROBI, ZA CO GO LUBISZ I CO W NIM KOCHASZ.

PIĘĆ ŻELAZNYCH ZASAD SUPERTATY:

★ CZYTAJ SWOIM DZIECIOM KSIĄŻKI NA DOBRANOC.

★ NAUCZ SIĘ PRZYZNAWAĆ DO BŁĘDÓW I PRZEPRASZAĆ.

★ PATRZ NA DZIECKO, GDY DO CIEBIE MÓWI, I NAPRAWDĘ UWAŻNIE GO SŁUCHAJ.

★ NIGDY NIE DAJ SOBIE WMÓWIĆ, ŻE BYCIE WSPANIAŁYM OJCEM JEST NIEMĘSKIE.

★ NIE NIAŃCZ DZIECKA, LECZ WYCHOWUJ.

CZEGO POTRZEBUJE TWOJA CÓRKA

★BĄDŹ PRZEWODNIKIEM

Zawsze odpowiadaj na zadawane pytania. Nie lekceważ problemów. Rozwiewaj wątpliwości. Rób wszystko, by jak najwcześniej stać się autorytetem.

Z wiekiem dziewczynka staje przed szeregiem życiowych decyzji. Wówczas od Ciebie – wyposażonego już w doświadczenie i mądrość – powinna oczekiwać rady. Dzięki temu możesz opisać jej przewidywane konsekwencje jej wyborów.

Często może Ci się wydawać, że swoje wskazówki powinieneś zachować dla syna, a córką powinna zająć się jej mama. Wierz mi jednak, że rady udzielone z męskiego punktu widzenia są tak samo ważne.

Przygotuj się na to, że środowisko, grupa rówieśnicza, będzie się starało wywrzeć wpływ na aspiracje życiowe Twojej córeczki. I tu właśnie zaczyna się Twoje zadanie, bo to Ty, z bardziej zdroworozsądkowym i analitycznym sposobem myślenia, pomożesz wyjaśnić trudne sytuacje. Jeśli oczywiście wcześniej zyskałeś jej zaufanie.

Możesz pomóc córce także poprzez jej dyscyplinowanie. W odniesieniu do dziewczynki szczególnie ważne jest wyjaśnienie jej, dlaczego wymagasz od niej stosowania się do pewnych reguł. Równie istotne jest uświadomienie jej, że nawet gdy zdarzyło się jej ominąć wprowadzone w domu zasady, Ty zawsze będziesz ją kochał i nigdy nie przestanie być Twoją córeczką.

Kolejnym ważnym elementem jest edukacja, co nie znaczy, że powinieneś zacząć robić córce wieczne wykłady. Zwłaszcza jako nastolatki dzieci rzadko czerpią pożytek z prawionych przez rodziców kazań. Zamiast tego staraj się towarzyszyć córce zarówno podczas zabawy, jak i w ważnych życiowych momentach.

★ZACHĘCAJ I WZMACNIAJ

Twój wpływ na samoocenę córki jest nie do przecenienia. Dziewczynki chcą być zdolne, szczupłe, ładne i wysokie. Jako tata możesz sprawić, że Twoje dziecko będzie czuło się piękne z zewnątrz i od środka. Nie przesadzaj z komplementowaniem jej urody, nawet gdy jest śliczna jak aniołek. Doceniaj jej intelekt.

Przede wszystkim naucz się chwalić córkę poprzez dawanie jej jasnych komunikatów słownych. „Stać cię na to!", „Wierzę w ciebie" lub po prostu „Kocham cię!".

Doceniaj walory charakteru, takie jak: dojrzałość emocjonalna, poczucie humoru, lojalność, inteligencja czy odwaga. Staraj się zwłaszcza, aby zrozumiała, że nawet gdyby nie cechowały jej wszystkie powyższe przymioty, to nadal kochasz ją tak samo.

Aktywnie uczestnicz w jej sprawach, również tych babskich. Pokaż, że chcesz i lubisz poświęcać jej swój czas i swoją uwagę. Po prostu staraj się z nią być i wnosić w jej życie radość i zabawę.

Okazuj, że ufasz jej umiejętnościom i cenisz zdanie. Możesz na przykład poprosić o opinię w sprawie dotyczącej Twojej pracy zawodowej. Daj córce trudne zadanie i obdarz zaufaniem, że da sobie radę.

To nieprawda, że dziewczynka nie potrafi przybić gwoździa czy porozmawiać o wyższości silnika widlastego nad rzędowym. Wystarczy tylko jej na to pozwolić. A jeśli przekona się, że wierzysz w jej możliwości, o wiele łatwiej będzie radzić sobie z trudami dorosłego życia.

★ZASPOKAJAJ POTRZEBY I BUDUJ ZAUFANIE

Mamy wspaniale sobie radzą z zaspokajaniem dziecięcych potrzeb, ale Twoja córka oczekuje tego również od Ciebie. Zdolność ta jest bardzo ważna w budowaniu relacji opartej na wzajemnym zaufaniu.

Jeśli między Tobą a córką przeważa napięcie, nie będziesz potrafił w trudnych dla niej chwilach skutecznie zaoferować pomocy i wsparcia. Postaraj się więc od najmłodszych lat budować Wasze pozytywne i szczere relacje.

Pozwól córce wyrażać otwarcie swoje uczucia. To wcale nie jest takie oczywiste, jak na pierwszy rzut oka wygląda. Córka powinna czuć akceptację z Twojej strony. Musi wiedzieć, że wolno jej powiedzieć, co myśli, bez obawy, że spotka się z brakiem akceptacji lub, co gorsza, awanturą.

Musi mieć pewność, że zareagujesz w sposób spokojny, nawet jeśli zrobi coś nie tak. Niezmiernie ważne jest, aby córka miała świadomość, że może zwrócić się do Ciebie w każdej sprawie, która jest dla niej ważna, a z którą sama nie potrafi sobie poradzić. Z tego względu ważne jest, abyś uważnie słuchał tego, co ma Ci do powiedzenia.

Słuchaj aktywnie. Zadawaj dodatkowe pytania. Pokaż, że to, co córka Ci opowiada, jest dla Ciebie najważniejsze. Wreszcie, gdy już się dowiesz, w czym tkwi problem, nie staraj się natychmiast znaleźć rozwiązania. Pozwól jej podjąć decyzję. Twoja córka potrzebuje przede wszystkim, abyś okazał zainteresowanie. Wówczas poczuje, że chcesz jej pomóc. Ty też będziesz miał chwilę, aby ochłonąć z gniewu czy zdenerwowania. Zyskasz też czas, aby lepiej przygotować się do ewentualnego wsparcia córki.

★POKAŻ PERSPEKTYWĘ

Zastanawiasz się z pewnością, jakim człowiekiem jest Twoja córka i kim będzie w przyszłości. Twoim zadaniem jest przekazać jej optymistyczny obraz tych perspektyw. Być może nie zdajesz sobie z tego sprawy, ale zasiane przez Ciebie u córki ziarenko zwątpienia może pozbawić ją lub znacznie ograniczyć możliwości sukcesu w dorosłym życiu.

Jeśli na przykład powiesz: „Nie przejmuj się tak bardzo fizyką, to o wiele za dużo na twoją małą główkę", córka może uznać, że nie jest zdolna w ogóle i przestanie się starać w szkole. Gdy zwrócisz dziewczynce uwagę, mówiąc: „Odpuść sobie nieco słodyczy. Zobaczysz, będziesz gruba i żaden chłopak nie będzie cię chciał", rezultat może Cię zaskoczyć. Jest spora szansa, że dziewczynka właśnie przytyje i dowiedzie Twojej racji.

Może też być odwrotnie – za wszelką cenę będzie chciała schudnąć szybko i radykalnie, co może powodować zaburzenia odżywiania, a w efekcie problemy ze zdrowiem.

Może też być tak, że aby udowodnić sobie, a przede wszystkim Tobie, że nie ma kłopotu ze znalezieniem chłopaka, będzie skłonna pierwszemu lepszemu pozwolić na więcej, niż byś sobie życzył.

To, czy Twoja córka w przyszłości wykorzysta w pełni swoje możliwości, w dużej mierze zależy od Ciebie. Spróbuj roztoczyć przed nią wizję jej przyszłości. Możesz to zrobić poprzez podkreślanie umiejętności, talentów i oczekiwań. Możesz też najzwyczajniej w świecie porozmawiać i zapytać, jakie są jej marzenia, a potem wsłuchać się uważnie w odpowiedź. W roli ojca zawiera się też autorytet pozwalający budować wiarę w optymistyczną przyszłość.

Gdy córka pyta: „Tato, w czym jestem dobra? Co potrafię najlepiej?", Twoje zadanie polega na udzieleniu pełnej, ale i budującej odpowiedzi.

★ZAPEWNIAJ POCZUCIE BEZPIECZEŃSTWA

Zwykle sądzimy, że dbanie o dziecko dotyczy jedynie zapewnienia mu fizycznego bezpieczeństwa. Jest jednak także mnóstwo niebezpieczeństw emocjonalnych, moralnych i duchowych. Jeśli właściwie wypełnisz swoją rolę w tym względzie, Twoja córka będzie się czuła bezpiecznie, nawet gdy Cię nie będzie w pobliżu.

Po pierwsze, musisz sam rozpoznać zagrożenia współczesnego świata i strzec córkę przed nimi. Pamiętaj, że świat nieco się zmienił od czasu, gdy Ty byłeś w jej wieku. Są ludzie, którzy mogą starać się nakłonić ją do destruktywnego stylu życia albo zmienić jej postrzeganie rzeczywistości w sposób, którego nie akceptujesz.

Musisz zdawać sobie sprawę, że świat „zwariował" i jest w nim także przemoc i wulgarny seks w telewizji, Internecie, muzyce czy filmach. Powinieneś to sobie uświadomić, aby umieć odpowiednio reagować. I chronić swoje dziecko.

Po drugie, powinieneś nauczyć córkę, jak postępować w sytuacjach niebezpiecznych, przygotować ją na możliwość pojawienia się takich sytuacji. Nie zawsze będziesz obecny, aby udzielić jej pomocy, ale możesz chronić ją poprzez przekazanie wiedzy o tym, co i jak ma robić w sytuacjach niebezpiecznych.

Może to być rodzaj zabawy czy kwizu, np. kiedy dzwonić pod telefon 911 lub jak zmienić detkę w rowerze. Może to być wspólne uczestniczenie w kursie samoobrony. Może to być również uzupełniająca rozmowa na temat konsekwencji kłamstwa, nauka asertywności czy też reagowania na czyjeś niewłaściwe zachowanie.

MUSISZ ZDAWAĆ SOBIE SPRAWĘ, ŻE ŚWIAT „ZWARIOWAŁ" I JEST W NIM TAKŻE PRZEMOC I WULGARNY SEKS W TELEWIZJI, INTERNECIE, MUZYCE CZY FILMACH. POWINIENEŚ TO SOBIE UŚWIADOMIĆ, ABY UMIEĆ ODPOWIEDNIO REAGOWAĆ. I CHRONIĆ SWOJE DZIECKO.

CZEGO POTRZEBUJE TWÓJ SYN

★PLAN DZIAŁANIA

Syn potrzebuje taty, który myśli o jego przyszłości oraz podejmuje działania, aby go na nią przygotować. Nieważne, czy ta przyszłość dotyczy dnia jutrzejszego, przyszłego tygodnia, czy też tego, co może być udziałem Twojego chłopca za dziesięć lat. Można to porównać do długoterminowego planu finansowego. Trzeba regularnie i konsekwentnie inwestować, abyście w przyszłości mogli obydwaj zebrać tego owoce. Może to dotyczyć czegoś w rodzaju ukierunkowania wyboru Twojego syna. Nie chodzi tu o nadzieję lub marzenie, że zostanie lekarzem, prawnikiem czy muzykiem. Chcesz, aby jego życie było pełne, aby osiągnął dobrobyt i odpowiednią Twoim zdaniem pozycję społeczną. Ale on również powinien tego chcieć. Pamiętaj – nie chodzi o to, by on realizował Twoje marzenia. Ma realizować swoje. Choćby nie były one szczytem Twoich aspiracji.

Planuj z synem również tak zwaną przyszłość społeczną, to znaczy rozmawiaj z nim o tym, jakich ludzi ceni, czego szuka u dziewczyny, co jest ważne dla sukcesu związku dwojga ludzi, no i, oczywiście, regularnie rozmawiaj z nim o płci odmiennej oraz jego opinii na ten temat.

Nie zapominaj o tym, aby dostrzec momenty, które pozwolą Ci rozpoznać, kiedy Twój syn osiągnie kolejny etap rozwoju i odpowiedzialności. Zawsze też utwierdzaj go w przekonaniu, że jest i pozostanie Twoim kochanym synem.

Możesz też spróbować zaplanować naukę umiejętności, nawyków i wartości, które chcesz zaszczepić u swego syna, zanim rozpocznie samodzielne życie. Niech to będzie niezależność finansowa, umiejętność okazywania wdzięczności, dbałość o zasady etyczne, związki rodzinne itp.

BYĆ MOŻE SŁYSZAŁEŚ JUŻ KIEDYŚ ZDANIE:
„JEŚLI TWÓJ PLAN PONIÓSŁ PORAŻKĘ,
TO ZNACZY, ŻE ZAPLANOWAŁEŚ PORAŻKĘ".
ZAPLANUJ WIĘC SUKCES.

★BĄDŹ PRZYKŁADEM

Twój syn potrzebuje punktów odniesienia, a zwykle czyny przemawiają lepiej niż słowa. Prowadzony przez Ciebie odpowiedzialny tryb życia może mieć wpływ na to, jak przez życie przejdzie Twój syn, a potem i jego synowie. Na tym polega siła Twojego przykładu. Ojciec jest dla syna w początkowych latach życia najważniejszym wzorem. Dotyczy to wielu aspektów życia.

Przede wszystkim emocje. Możesz nauczyć syna panowania nad emocjami i wyrażania ich we właściwy sposób. Zrobisz tak poprzez pozwolenie mu na obserwowanie siebie. Wielu tatusiów ukrywa swoje uczucia, tak jakby były one oznaką słabości. Syn jednak musi wiedzieć, co czujesz, to niezmiernie ważne dla określenia, jakim jesteś człowiekiem. I jakim człowiekiem może stać się on sam.

Powinieneś nauczyć się panować nad gniewem, złością i innymi negatywnymi emocjami. Nie chodzi o to, byś ich nie miał lub je tłumił. Po prostu postaraj się w inny sposób je uzewnętrzniać. Staraj się być pozytywnym wzorem.

Twój syn będzie też czerpał przykład z Ciebie jako męża/partnera. Zwłaszcza chłopcy, którzy przeżyli rozpad rodziny. Jeśli sam zbudujesz mocny i dobrze funkcjonujący związek, Twój syn również zaczerpnie z tego przykładu.

SYN MUSI WIEDZIEĆ, CO CZUJESZ, TO NIEZMIERNIE WAŻNE DLA OKREŚLENIA, JAKIM JESTEŚ CZŁOWIEKIEM. I JAKIM CZŁOWIEKIEM MOŻE STAĆ SIĘ ON SAM.

★SPRAWDZAJ

Chłopcy wymagają, aby ojcowie nie tracili z nimi kontaktu, pilnowali przestrzegania reguł i zasad. Dotyczy to również ponoszenia odpowiedzialności za popełnione błędy. Naucz syna, że za swoje czyny on sam ponosi odpowiedzialność. Twój syn musi jednak wiedzieć, że mu się przyglądasz, musi zdawać sobie sprawę, że nie będziesz spokojnie patrzył, jak on zachowuje się w sposób, którego nie akceptujesz.

Szczególny nacisk połóż na budowanie szacunku. Wielu młodych ludzi zatraciło jego poczucie, co szczególnie widać w sposobie, w jaki się wyrażają i zwracają do starszych. Mówią w wulgarny, obelżywy sposób, przeklinają, znieważają kobiety. To takie modne i „cool". Musisz jednak zwracać uwagę na to, jak Twój syn mówi, i nauczyć go, jak powinien się wyrażać, aby poprzez rozmowę mógł osiągnąć pozytywne rezultaty, np. sprawne wyrażanie uczuć i emocji czy budowanie związków.

★KOCHAJ I OKAZUJ MU TO

Mówiąc o miłości, nauczysz swojego syna wyrażania uczuć wobec innych i zbudujesz Wasze wzajemne zaufanie.

Zawsze mów mu, co czujesz. Najpierw wysłuchaj, co on ma do powiedzenia, zanim wyrazisz swoją opinię. Unikaj prawienia kazań, staraj się zamienić je na rozmowę. Otwórz się na opinię ze strony syna. Nawet gdyby była krytyczna.

Gdy między Wami dochodzi do konfliktu, to Ty musisz przejawiać inicjatywę w prowadzeniu rozmowy.

Miej odwagę przyznać się czasem do błędu i poprosić o przebaczenie. Okaż swoje uczucia. Twój syn nabierze wówczas pewności siebie i utwierdzi się w poczuciu własnej wartości.

Słowne okazywanie uczuć jest bardzo ważne. Słowa niosące pozytywne uczucia dają Twojemu synowi wiarę w siebie, poczucie związku i oczywiście stanowią najlepszy wzór do naśladowania. Mów synowi, jak wiele dla Ciebie znaczy – nie szczędź mu prostego: „Kocham Cię i jestem dumny, że jestem twoim tatą!".

Tak więc zamiast klepnięcia w ramię czy poczochrania włosów, zrób czasem z synem tradycyjnego „niedźwiedzia" i staraj się często to powtarzać.

Zadania do wykonania

DLA OJCÓW, KTÓRZY MAJĄ JUŻ DZIECI

☑ POPROŚ PARTNERKĘ O KILKA NIEPODPISANYCH ZDJĘĆ TWOICH DZIECI Z RODZINNEGO ALBUMU, SPRÓBUJ USTALIĆ, GDZIE I KIEDY BYŁY ZROBIONE.

☑ JEŚLI TWOJE DZIECKO MA SWÓJ ALBUM, SPRAWDŹ, ILE W NIM JEST WPISÓW, KTÓRE TY ZROBIŁEŚ.

☑ ZAPROPONUJ PARTNERCE, ŻE W NAJBLIŻSZY WEEKEND JEDNEGO DNIA TY ZAJMUJESZ SIĘ DZIECKIEM OD CHWILI, GDY WSTANIE RANO, AŻ DO JEGO ZAŚNIĘCIA.

DLA OJCÓW, KTÓRZY JESCZE NIE MAJĄ DZIECI

☑ POLICZ, ILE RAZY W CIĄGU OSTATNIEGO MIESIĄCA SPOTKAŁEŚ SIĘ LUB ROZMAWIAŁEŚ ZE SWOIM OJCEM.

☑ WEŹ SWÓJ ALBUM ZE ZDJĘCIAMI Z DZIECIŃSTWA I SPRAWDŹ, NA JAK WIELU ZDJĘCIACH JESTEŚ ZE SWOIM OJCEM.

☑ ZAPROJEKTUJ RAZEM Z PARTNERKĄ POKÓJ DLA WASZEGO DZIECKA.

★ JAK SIĘ ZMIENIA TWOJA KOBIETA?
★ BOISZ SIĘ? ONA TEŻ SIĘ BOI
★ CO SIĘ DZIEJE W JEJ BRZUCHU? CO SIĘ DZIEJE W TWOJEJ GŁOWIE?
★ SZKOŁA RODZENIA
★ RODZIĆ RAZEM CZY OSOBNO?
★ PRZYGOTOWANIE NA PRZYJĘCIE NOWEGO DOMOWNIKA

KOCHANIE, JESTEM W CIĄŻY!

♥ SKARBIE, BĘDZIEMY MIELI DZIECKO!

PRZYPOMNIJ SOBIE, JAK ZAREAGOWAŁEŚ
NA TĘ WIADOMOŚĆ?
JEŚLI ODCZUŁEŚ WSZECHOGARNIAJĄCĄ RADOŚĆ
LUB DUMĘ, TO... NIESTETY NALEŻYSZ DO MNIEJSZOŚCI.
NAWET JEŚLI WASZA CIĄŻA JEST STARANNIE ZAPLA-
NOWANA I OCZEKIWANA, WIELU FACETÓW W PIERW-
SZEJ CHWILI CZUJE NIEPOKÓJ. RADOŚĆ ZWYKLE PRZY-
CHODZI SPORO PÓŹNIEJ, A I TAK TOWARZYSZĄ JEJ
PRZERÓŻNE WĄTPLIWOŚCI I LĘKI.

Nim jednak napiszę o lękach, pora omówić zmiany, które Was czekają. Twoja kobieta w ciąży się zmienia, to pewne – ale co o tym wiesz Ty, a co wie ona sama?

Napiszę tu nie tylko o przyjemnościach związanych z ciążą, ale są to wiadomości, które powinieneś mieć, by lepiej zrozumieć, co się z nią dzieje.

★NASTROJE

Często pewnie pytasz sam siebie: jak mieć żonę w ciąży i przeżyć?
Nastroje związane z ciążą mogą być dwojakiego rodzaju. Niektóre przyszłe mamy mają dobry, radosny nastrój, inne są pełne obaw, a nawet smutku. Najbardziej niezrozumiałe dla mężczyzny jest to, że te nastroje i humory mogą się nieustannie przeplatać. I to, że pojawiają się bez widocznego powodu.

Zmienne nastroje w przebiegu ciąży występują dlatego, że organizm kobiety musi się przestawić na inną gospodarkę hormonalną. U większości kobiet zmiany nastroju po zakończeniu pierwszych czterech miesięcy ciąży tracą swą intensywność. Pociesz się więc myślą, że wkrótce odzyskasz swoją, „znaną Ci" żonę.

★NUDNOŚCI I WYMIOTY

Sporym problemem dla kobiety, zwłaszcza na początku ciąży, są poranne nudności, a nawet torsje. Jeśli o świcie zobaczysz swą ukochaną „łączącą się z Wisłą" (lub jaką tam u siebie macie rzekę), czyli pochyloną nad muszlą – nie znaczy to, że poprzedniego wieczoru zamiast do szkoły rodzenia, poszła do pobliskiego pubu. Ten stan rzeczy wynika ze zmian w gospodarce hormonalnej organizmu. Wymioty w ciąży są nieprzyjemne, ale na ogół nie niebezpieczne. Musiałam to wyjaśnić, chociaż przypuszczam, że część z Was, drodzy ojcowie, wie to doskonale, bo doświadczała wymiotów, choć w ciąży raczej nie była.

Jeżeli jednak Twoja kobieta nie może spożywać posiłków i traci na wadze, zabierz ją do lekarza. Nie powinniście dopuszczać do tego, aby Wasz nienarodzony jeszcze potomek był głodny. Z reguły nudności te znikają same, najpóźniej do ukończenia czwartego miesiąca ciąży.

★ANEMIA (NIEDOKRWISTOŚĆ)

Jeśli Twoja kobieta zaczyna sprawiać wrażenie przezroczystej, traci siłę i nic jej się nie chce, jest zmęczona, ociężała i nie bawią jej Twoje żarty, które dotychczas zawsze wywoływały uśmiech na jej twarzy – to prawdopodobnie ma niedokrwistość.

Przyczyną anemii u kobiety ciężarnej jest niedobór żelaza niezbędnego do tworzenia krwi. Ponieważ rosnące dziecko potrzebuje żelaza, należy szczególnie dużo jej go dostarczyć. Najlepiej poprzez naturalne jego źródła, a są nimi: suszone owoce (np. morele, rodzynki), ziarna słonecznika, wątróbka (najlepiej cielęca, mniam, mniam). Szczególnie ważne jest, aby dieta była urozmaicona, gdyż wówczas żelazo będzie zdecydowanie lepiej przyswajane przez organizm. Przy okazji możesz zadbać o intelekt dziecięcia i przemycić w diecie nieco kwasu foliowego, np. pamiętaj, że ryby mają go całkiem sporo.

Gdy „macie" anemię, to po badaniu krwi lekarz powie dokładnie, co robić.

> PAMIĘTAJ. NIGDY NIE WOLNO CI DOPUŚCIĆ DO TEGO, BY MATKA TWOJEGO DZIECKA, BĘDĄC W CIĄŻY, WYPIŁA CHOĆ KROPLĘ ALKOHOLU. NIE MA BOWIEM BEZPIECZNEJ DLA PŁODU ILOŚCI TRUNKU, JAKĄ MOŻE SPOŻYĆ PRZYSZŁA MATKA. NAWET NAJMNIEJSZA I JEDNORAZOWA DAWKA MOŻE ZABURZYĆ ROZWÓJ DZIECKA. KONSEKWENCJE SPOŻYWANIA ALKOHOLU W CZASIE CIĄŻY SĄ GROŹNIEJSZE DLA PŁODU NIŻ INNE ŚRODKI ODURZAJĄCE.

★PIERSI

Od pierwszych dni odczuwane są jako ciężkie, twarde i najczęściej bardzo wrażliwe. Zdecydowanie się powiększają. Niestety, nie Ty będziesz czerpał z tego cudu korzyści. Możesz co najwyżej sobie popatrzeć. Pod koniec ciąży brodawki i otoczki sutkowe ciemnieją. To wszystko są prawidłowe objawy ciąży. Po porodzie znikają.

★WAGA

Dziecko w brzuszku mamy rośnie, potrzebuje więc pożywienia. Aby móc właściwie odżywiać dziecko, organizm kobiety odkłada zapasy tłuszczu, gromadząc w ten sposób energię. Gdy kobieta je za mało, dziecko może korzystać z tych rezerw tłuszczu.

Przybieranie na wadze nie powinno być zbyt gwałtowne i zbyt duże. Przyrost wagi rozkłada się na całą ciążę i w sumie zwykle powinien wynosić od 8 do 12 kg. Zbyt duży przyrost masy ciała obciąża kręgosłup oraz stawy. Postaraj się więc zwrócić uwagę na to, by Twoja kobieta nie osiągnęła kształtu idealnego, czyli... kuli.

★SKURCZE

Skurcze dotyczą przede wszystkim łydek i pojawiają się, gdy rosnące dziecko zabierze z organizmu matki za dużo wapnia i magnezu. Można temu zapobiec poprzez jedzenie produktów bogatych w wapń i magnez, takich jak mleko i jego przetwory, banany czy zielone warzywa. Zadbaj o to. Pomocne są masaże lub po prostu regularne spacery. I relaks dla nóg.

★BÓLE PLECÓW

Dyskomfort związany z bólami pleców jest bardzo uciążliwy. Objawy te mogą powstawać na skutek rosnącego brzucha i zmieniających się krzywizn kręgosłupa. Twoja kobieta może ich uniknąć, zamieniając szpilki na płaskie buty. Proponuję częste, ale nie forsowne, spacery i od czasu do czasu odprężanie poprzez trzymanie nóg wyżej. W czasie ciąży pilnuj, by Twoja kobieta unikała dźwigania ciężkich toreb i siatek. Sam więc rozumiesz, że zakupy robisz Ty, czyli przyszły tatuńcio.

I W TEN SPOSÓB POWOLI ZBLIŻAMY SIĘ DO PRAWDY OBJAWIONEJ, A BRZMI ONA:

NA WSZYSTKIE TE DOLEGLIWOŚCI NAJLEPSZYM LEKARSTWEM MOŻESZ BYĆ TY. !!!!

To zrozumiałe, że mężczyźni mają ogromne obawy, czy poradzą sobie w przyszłości, czy utrzymają rodzinę. Trochę na wyrost boją się odpowiedzialności. Trudno zebrać myśli, a jeszcze do tego, w całym tym strachu, kobiety wymagają, by je głaskać, przytulać i pocieszać, okazywać zrozumienie i być wyrozumiałymi dla niej, bo właśnie zalewa się łzami (bez powodu), bo ma kłopoty z automatem do kawy i nie może go uruchomić (a dotąd zawsze mogła).

Ale na to lekarstwa nie ma. Pozostają tylko silne nerwy, techniki relaksacyjne i picie melisy na uspokojenie (mała porcja i ciężarnej nie zaszkodzi :-)).

Nigdy nie mów sobie „nie potrafię". Najwyżej przyznaj: „to trudne". Jeśli wmówisz sobie, że nie potrafisz, to nie zaczniesz działać, ale gdy coś jest trudne, to po prostu trzeba włożyć więcej wysiłku, by osiągnąć sukces. Dasz radę!

Masz szansę, by być supertatą. Wystarczy tylko tego chcieć.

★ONA PRZEPŁACZE CAŁĄ CIĄŻĘ

To oczywiście spora przesada, choć rzeczywiście kobiety zmieniają się pod wpływem ciążowych hormonów – łatwiej się wzruszają, częściej bywają rozdrażnione, nadwrażliwe, płaczliwe.

Twoim zadaniem będzie właśnie panowanie nad emocjami Was obojga. Po prostu powtarzaj sobie, że życie trwa dłużej niż dziewięć miesięcy, a partnerka zmieniła się tak tylko na jakiś czas. Przynajmniej taką masz nadzieję. I tej wersji się trzymaj.

Poczytaj o pierwszych tygodniach ciąży. Dowiesz się, ku swej uldze, że od czwartego miesiąca ciąży poziom hormonów się stabilizuje i będzie lepiej. Ale nie ciesz się zbytnio, partnerka może być podekscytowana czy pobudzona aż do porodu i nawet przez kilka miesięcy po nim. To przecież normalne.

Pamiętaj, kiedy ona płacze od rana do wieczora albo złości się o byle co (z Twojego męskiego punktu widzenia) – to wcale nie znaczy, że wymaga od ciebie natychmiastowego działania w każdej sprawie. Ona po prostu chce, żebyś przy niej trwał, dawał jej do zrozumienia, że ciąża i poród to Wasza wspólna sprawa i, co najważniejsze, że nie jest sama ze swoimi lękami.

> Myśl o niej wtedy trochę jak o małym dziecku. Temu „dziecku", trzeba zapewnić bezpieczeństwo, przytulić, pocieszyć, zrozumieć i... oczywiście wybaczyć.

★UTYJE I PRZESTANIE BYĆ ATRAKCYJNA (CZYTAJ: PRZESTANIE CI SIĘ PODOBAĆ)

To na szczęście dzieje się bardzo, bardzo rzadko. Na ogół z dumą patrzysz na zaokrąglony brzuszek i całą figurę swojej kobiety, gdy jak rentgenem prześwietlasz i oczyma wyobraźni widzisz rosnące w niej Wasze dziecko. To powód do dumy.

A jeśli chodzi Ci o to, żeby pomóc partnerce, by nie przytyła za bardzo (czyli więcej niż 10–12 kg), to masz spore pole do popisu.

Po pierwsze, nie zapominaj, że ona się martwi (czytaj: jest przerażona) zmieniającą się figurą, co najmniej tak samo jak Ty. Postaraj się więc nie dołować jej swoimi uwagami. Razem stosujcie zdrową dietę i jeśli jeszcze pozostajecie w szponach nałogu, razem rzućcie palenie.

Po drugie, potrzebny jej będzie odpoczynek, minimum stresu, maksimum relaksu. Zatem zrób coś konkretnego. Przejmij część domowych obowiązków. Poznaj tajniki programowania Waszej pralki lub wyrusz na poszukiwanie żelazka i deski do prasowania.

Nie znaczy to absolutnie, że masz wszystko rzucić i podporządkować się bezwarunkowo odmiennemu stanowi Twojej kobiety. Wystarczy w Waszym domu jedna zestresowana i popadająca we frustrację osoba.

Znajdźcie wspólnie życiową równowagę i nie wywołujcie domowej histerii. Spróbuj nie rzucać partnerce pod nogi kłód w postaci objadania się jej ulubionymi słodyczami, gdy ona może tylko popatrzeć na nie tęsknym wzrokiem.

Po trzecie, jak najczęściej powtarzaj, że Ci się podoba i że świetnie sobie radzi (nie tylko w tej kwestii). Ale przede wszystkim bądź przy niej, cierpliwie (na ile tylko możesz) słuchaj, pocieszaj, przytulaj – częściej nawet, niż Ci się to wydaje konieczne.

PAMIĘTAJ – NIKT NA ŚWIECIE NIE ZROBI TEGO LEPIEJ OD CIEBIE! POCHWAŁA TO NAJSKUTECZNIEJSZY SPOSÓB DODAWANIA SKRZYDEŁ.

★NIE BĘDZIEMY MOGLI SIĘ KOCHAĆ

Boisz się, że mógłbyś wyrządzić krzywdę żonie albo dziecku? Zupełnie niepotrzebnie. Matka natura wzięła sobie do serca Wasze potrzeby. Dziecko w łonie matki jest chronione przez wielostopniowy system zabezpieczeń. Po pierwsze, osłaniają je mięśnie macicy. Po drugie, chronią je błony płodowe i płyn owodniowy. Potomek jest więc całkowicie bezpieczny. Podczas stosunku może odczuwać jedynie kołysanie. Pod warunkiem że kobieta będzie miała orgazm, bo to właśnie wtedy macica delikatnie się kurczy.

Trzeba obalić kolejny mit, który budzi postrach u przyszłych rodziców. Jeśli tylko ciąża przebiega bez zakłóceń, wcale nie musicie rezygnować z seksu. Przeciwnie, zwłaszcza w tym okresie, gdy jesteście sobie szczególnie bliscy, a jej ciało jest bardzo wrażliwe, miłosne igraszki mogą Wam dostarczyć niezwykłych doznań.

Podejście do spraw erotycznych w okresie ciąży jest bardzo indywidualne.

We wczesnym etapie (pierwsze trzy miesiące) kobiety mogą odczuwać niechęć do zbliżeń. Namiętność może więc nagle zniknąć, a wraz z nią ochota na intymne zbliżenia. A oto kilka powodów.

Po pierwsze – przyszła mama często ma nudności, źle się czuje i bywa senna. Po drugie – swoje myśli skupia na dziecku. Jakie ono będzie, jak zmieni się jej życie, czy podoła nowemu wyzwaniu, czy będzie dobrą matką?

Swoista oziębłość spowodowana jest więc przede wszystkim złym samopoczuciem, rozdrażnieniem czy po prostu zmęczeniem. Nie ma to nic wspólnego z Tobą.

CZĘŚĆ KOBIET W TYM OKRESIE MOŻE JEDNAK PRZEJAWIAĆ WZMOŻONE POTRZEBY SEKSUALNE. ZDARZA SIĘ DOŚĆ CZĘSTO, ŻE KOBIETY, KTÓRE W POCZĄTKOWYCH OKRESACH CIĄŻY UNIKAŁY ZBLIŻEŃ SEKSUALNYCH, PO JEJ PÓŁMETKU ZACZYNAJĄ ODCZUWAĆ NAGŁĄ POTRZEBĘ KONTAKTÓW FIZYCZNYCH. JEST TO SPOWODOWANE ZNACZNYM UKRWIENIEM POCHWY I MACICY W TYM OKRESIE CIĄŻY.

Jeśli jednak macie jakiekolwiek wątpliwości w tej kwestii, to wspólnie idźcie do lekarza, a on odpowie na wszystkie Wasze pytania.

Kolejna ważna informacja.

Tym razem już nie tak miła. Wasz ciążowy seks powinien skończyć się na sześć tygodni przed planowanym rozwiązaniem. Utrzymywanie stosunków w tym okresie może doprowadzić do powstania zakażenia lub przyspieszyć akcję porodową.

Nie załamuj się jednak. Pozostają inne sprawdzone akcje. Dla wielu kobiet w ciąży o wiele ważniejsze stają się pieszczoty i przytulanie niż czysty seks.

Zdarza się jednak czasem, że to Ty nie masz ochoty na seks i jak ognia unikasz zbliżenia. Twoje reakcje są proste do wyjaśnienia. Wielu mężczyzn czuje się niepewnie w nowej sytuacji i potrzebuje czasu, by oswoić się z faktem zostania ojcem. Ważne jest, byście wtedy szczerze wyjaśnili sobie wszelkie nieporozumienia, a w razie jakichkolwiek wątpliwości odwiedzili ginekologa.

★COŚ JEJ SIĘ STANIE

Taki lęk to naturalny dowód troski. Nie daj mu się jednak opanować. Przede wszystkim ciąża to nie choroba. Pomyśl spokojnie i konkretnie – właściwie, co może jej się stać? Wszystko będzie dobrze. I tej wersji się trzymajcie. Oboje.

Od zawsze kobiety są w ciąży i rodzą dzieci. To jedno z ich „dziejowych zadań". Bądź więc spokojny i z radością oczekuj swego potomka.

Te same obawy są też udziałem kobiet. Mogę powiedzieć jednak, że one boją się i mocniej, i bardziej, i więcej.

CZEGO WIĘC BOJĄ SIĘ KOBIETY POZA TYM, O CZYM PISAŁAM WYŻEJ?

★CZY DZIECKO BĘDZIE ZDROWE?

Mama naturalnie obawia się o zdrowie swojego dziecka i w ciąży, i po urodzeniu. Kontaktując się z innymi kobietami (z rodziny lub nie), słucha opowieści niekiedy zarówno mrożących krew w żyłach, jak i wyssanych z palca, dramatycznie ubarwionych i przekolorowanych. Często skupia swoje myślenie na wyraziście odmalowanych przez koleżanki, siostry czy kuzynki patologiach. Wtedy wkraczasz do akcji Ty. Supertata – głos rozsądku i ukojenie dla nerwów. Nie pozwól kobiecie zaczytywać się w opisach dramatycznych przypadków z kolorowych czasopism lub książek medycznych. Jeśli trzeba, poszukaj i znajdź kontrprzykłady szczęśliwych porodów i zdrowych maluszków. Możesz w skrajnych przypadkach poprosić lekarza, aby w rozmowach z Twoją kobietą kładł szczególny nacisk na pozytywne i optymistyczne wiadomości.

★CZY DADZĄ SOBIE RADĘ ZE WSZYSTKIM? CZY NADAL BĘDĄ WSPANIAŁYMI ŻONAMI I KOCHANKAMI? CZY JUŻ TYLKO MATKAMI?

Lęki kobiety w tej kwestii, jak i inne w tym okresie jej życia, są regulowane, a może właśnie rozregulowane przez hormony. Twoja rozsądna dotąd partnerka zaczyna przypominać rozhisteryzowaną nastolatkę. Staje się drażliwa i kłótliwa. Miewa ni stąd, ni zowąd pretensje o byle co. O wszystko i o nic.

Niewykluczone, że ma może tylko więcej odwagi, by te pretensje wykrzyczeć? Zastanów się, jak nad tym zapanować, i postaraj się być wyrozumiały i cierpliwy. Te histerie i niepokoje miną szybciej, niż przypuszczasz.

★NIE BĘDĄ UMIAŁY URODZIĆ DZIECKA!

Nie pozwól słuchać, czytać, rozmawiać swojej kobiecie o trwających kilka dni porodach okupionych potwornymi, wręcz piekielnymi bólami. Każda kobieta jest w stanie urodzić dziecko. TWOJEJ TEŻ SIĘ TO UDA. Zapiszcie się razem do szkoły rodzenia. Razem przygotujcie się do tego wydarzenia. Oswójcie lęki. Razem.

NIE POZWÓL KOBIECIE ZACZYTYWAĆ SIĘ W OPISACH DRAMATYCZNYCH PRZYPADKÓW Z KOLOROWYCH CZASOPISM LUB KSIĄŻEK MEDYCZNYCH. JEŚLI TRZEBA, POSZUKAJ I ZNAJDŹ KONTRPRZYKŁADY SZCZĘŚLIWYCH PORODÓW I ZDROWYCH MALUSZKÓW.

★ZWOLNIĄ JĄ Z PRACY, JAK NIE TERAZ, TO PO URLOPIE MACIERZYŃSKIM

Kobieta w ciąży nabywa w miejscu pracy specjalnych praw. Prawo zabrania jej nie tylko wykonywania określonych prac, ale też w sposób szczególny zabezpiecza ją przed ewentualnym rozwiązaniem stosunku pracy.

Umowę z kobietą w ciąży można rozwiązać tylko w sytuacji likwidacji lub upadłości pracodawcy. W innych przypadkach – jeśli umowa zostanie bezprawnie rozwiązana, kobieta może zadecydować, czy będzie domagać się przywrócenia do pracy, czy odszkodowania, a jej decyzja w tym zakresie jest dla sądu wiążąca.

Oczywiście może się zdarzyć, że pracodawca będzie wykazywał złą wolę. Wtedy Ty masz okazję (po raz kolejny) wspomóc swoją partnerkę.

★JEST NIEATRAKCYJNA, ON ZNAJDZIE INNĄ

To już Twoja w tym głowa, aby tego rodzaju pomysły nie zaprzątały głowy kobiety Twego życia. Pokazuj jej na każdym kroku, jak ją kochasz. Mów jej o miłości. Głaszcz ją po brzuchu i pokazuj, jak bardzo jesteś dumny. Nie będę Ci teraz szczególnie podpowiadać, bo nie jesteś przecież idiotą. Pomyśl, jak zdobyć swą ukochaną po raz drugi, i zrób to.

★ŚWIAT JEST STRASZNY I OKRUTNY. BĘDZIE WOJNA. BĘDZIE KONIEC ŚWIATA

Te trzy ostatnie lęki pozostawię bez rozwinięcia, gdyż powiązanie błogosławionego stanu Twojej partnerki z zagadnieniami pokoju na świecie oraz prawdopodobieństwem oddziaływania przelatujących obok naszej planety meteorytów zajęłoby zbyt dużo miejsca.

NA ZAKOŃCZENIE TRZY KRÓTKIE ŻOŁNIERSKIE RADY NA TEN CZAS:

★PO PIERWSZE. NIE ROZWIĄZUJ ODRUCHOWO JEJ PROBLEMÓW! KIEDY ONA MÓWI: BO POWINIENEŚ..." I TU PRZEDSTAWIA PROBLEM ŁATWY DO ROZWIĄZANIA, WRĘCZ OCZYWISTY, NIE OŚMIELAJ SIĘ TEGO ROZWIĄZANIA WYARTYKUŁOWAĆ.

PRZYTUL JĄ, POGŁASZCZ, WEŹ ZA RĘKĘ I MÓW: „TAK KOCHANIE, TO PROBLEM, ALE NIE MARTW SIĘ, JESTEŚ DZIELNA, PORADZIMY SOBIE...". PAMIĘTAJ JEDNAK, BY NIE BYĆ ZBYTNIO PROTEKCJONALNYM. TO TY ZNASZ SWOJĄ KOBIETĘ NAJLEPIEJ I WIESZ, CO I KIEDY POWIEDZIEĆ.

★PO DRUGIE. MUSISZ JĄ ZROZUMIEĆ. ALE NIE WPADNIJ W DRUGĄ PUŁAPKĘ. MUSISZ ZROZUMIEĆ JĄ, NIE PROBLEM. ON NA OGÓŁ NIE JEST W OGÓLE WAŻNY. JEST TYLKO PRETEKSTEM DO TEGO, ABYŚ TY OKAZAŁ JEJ MIŁOŚĆ, PEWNOŚĆ SIEBIE, SPOKÓJ, UFNOŚĆ I TE WSZYSTKIE INNE DOBRE EMOCJE.

★PO TRZECIE. MUSISZ PODĄŻAĆ RAZEM Z NIĄ W JEDNYM KIERUNKU, A NIE ZBACZAĆ, NP. W STRONĘ PRACY CZY KUMPLI.

RADY DLA SUPERTATY

★ BĄDŹ Z PARTNERKĄ I RAZEM PRZEŻYWAJCIE CIĄŻĘ: POCZYTAJ NA TEMAT ROZWOJU PŁODU, PRZEBIEGU PORODU, ZAPISZCIE SIĘ DO SZKOŁY RODZENIA, NA WSZYSTKIE WIZYTY U LEKARZA I USG STARAJCIE SIĘ CHODZIĆ RAZEM.

★ WYKORZYSTAJ OSTATNIE MIESIĄCE WE DWOJE NA WSPÓLNE WYPADY. TO MOŻE BYĆ OSTATNI DZWONEK NA ROMANTYCZNY WYJAZD DO... TOMASZOWA. PAMIĘTAJ O TYM I PO PORODZIE. WYJŚCIA, PODCZAS KTÓRYCH MALCEM ZAJMUJE SIĘ BABCIA LUB OPIEKUNKA, POZWOLĄ ODNALEŹĆ SIĘ W NOWEJ SYTUACJI, NIE GUBIĄC PRZY TYM UCZUCIA, JAKIE WAS ŁĄCZY.

★ NIE BÓJ SIĘ DZIECKA I, CO GORSZA, NIE TRAKTUJ JAK RYWALA. TO KREW Z TWOJEJ KRWI I KOŚĆ Z KOŚCI. POZA TYM UMIEJĘTNOŚCI ZAJMOWANIA SIĘ NIEMOWLĘCIEM NIE SĄ DZIEDZICZNE I PRZYPISANE DO JEDNEJ TYLKO PŁCI. JEŚLI BĘDZIESZ UCZESTNICZYŁ I POMAGAŁ W KĄPANIU, KARMIENIU, PRZEWIJANIU, WKRÓTCE NABIERZESZ WPRAWY ORAZ PEWNOŚCI SIEBIE!

★ PYTAJ PARTNERKĘ O TO, CO JĄ NIEPOKOI, MÓW, JAKIE SAM MASZ WĄTPLIWOŚCI. NAWET JEŚLI JEJ STRACHY WYDAJĄ CI SIĘ ŚMIESZNE I POZBAWIONE RACJONALNYCH POBUDEK, TRAKTUJ JE POWAŻNIE. A JEŻELI SAM NIE CHCESZ JEJ O CZYMŚ POWIEDZIEĆ, ZADZWOŃ DO PRZYJACIELA, BRATA, Z KTÓRYM MOŻESZ PODZIELIĆ SIĘ SWOIMI PRZEMYŚLENIAMI.

★ ROZMAWIAJCIE TEŻ O SPRAWACH RADOSNYCH. O PLANACH NA PRZYSZŁOŚĆ. O TYM, JAK BĘDZIE WYGLĄDAŁ DZIECINNY POKÓJ I KIM ZOSTANIE WASZE DZIECKO, GDY DOROŚNIE. BYCIE RODZINĄ JEST WSPANIAŁE, A OBAWY I LĘKI NIE POWINNY TEGO PRZYSŁONIĆ.

★ MÓW PARTNERCE, JAK JĄ KOCHASZ I CO CI SIĘ W NIEJ PODOBA. KOBIETY W CIĄŻY SĄ WYCZULONE NA PUNKCIE SWEGO ZMIENIAJĄCEGO SIĘ WYGLĄDU. WSPIERAJ JĄ!

★ BĄDŹ CIERPLIWY, WYROZUMIAŁY. ZMIANY HORMONALNE POWODUJĄ U KOBIETY W CIĄŻY WAHANIA NASTROJÓW - POSTARAJ SIĘ WIĘC ZACHOWAĆ SPOKÓJ W KAŻDEJ SYTUACJI.

KARIERA CIĄŻOWA

Być może zwróciłeś uwagę, że od czasu, gdy dowiedziałeś się, że ona spodziewa się dziecka, Twoje samopoczucie uległo zmianie. Nie musi tak być, ale jeśli tak właśnie jest, to być może doświadczasz czegoś, co nazwano mianem „kariery ciążowej".

Przebieg ciąży partnerki ma zazwyczaj znaczny wpływ na jakość i Twojego życia. Możesz napotkać problemy czy zmiany dotyczące stanu swego zdrowia i zachowań społecznych.

Lekarze nazywają „karierą ciążową" psychosomatyczny stan współodczuwania ciąży przez partnera ciężarnej kobiety. W ludzkim języku znaczy to tyle, że u mężczyzny występują objawy niemające żadnej wewnętrznej przyczyny, a wiążące się psychologicznie jedynie z ciążą partnerki.

Różne badania podają, że od 11 do 65 procent oczekujących na potomka ojców „cierpi" na tego typu dolegliwości.

JEŚLI STWIERDZASZ U SIEBIE:

♥ ZMIANY APETYTU,

♥ NADMIERNY WZROST WAGI,

♥ MDŁOŚCI, NIESTRAWNOŚCI, BIEGUNKI LUB ZAPARCIA BEZ KONKRETNEGO POWODU,

♥ HUŚTAWKI NASTROJÓW,

♥ PRAGNIENIA ŻYWIENIOWE, CZYLI TZW. ZACHCIANKI

♥ CZĘŚCIEJ NIŻ WCZEŚNIEJ BÓLE GŁOWY, BÓLE ZĘBÓW CZY KRZYŻA,

TO Z PEWNOŚCIĄ WŁAŚNIE DOŚWIADCZASZ „KARIERY CIĄŻOWEJ". JESTEŚ WIĘC TAK JAK TWOJA PARTENTKA PRZY NADZIEI".

Uważa się, że objawy te są najsilniejsze w czasie trzeciego i czwartego miesiąca ciąży, a potem tuż przed zbliżającym się porodem. Wszystkie symptomy zanikają po narodzeniu się dziecka.

Pewnie nieraz zastanawiasz się, co się dzieje w jej brzuchu? Tam rośnie człowiek. Ponieważ ta książka nie jest przewodnikiem po ciąży, proponuję sięgnąć po taki podręcznik. Jest ich na rynku całe mnóstwo. A jeśli uważasz, że to za trudne, nieciekawe, niejasno napisane (niepotrzebne skreślić), po prostu zapytaj swoją partnerkę. Ona na pewno opowie Ci wszystko, nie tylko ze szczegółami, ale jeszcze dodatkowo z przyjemnością.

A co się dzieje w Twojej głowie? Na to pytanie sam musisz sobie odpowiedzieć. Czy bardziej się boisz? Czy bardziej jesteś dumny? Czy wolisz syna, czy córkę? Czy już wiesz, do jakiej wyższej szkoły zapiszesz swoje dziecko? I o czym na pewno mu nie opowiesz. Nigdy! Czy chcesz być przy porodzie? Czy jesteś gotowy na szkołę rodzenia? Po co ci ona do szczęścia? A może to strata czasu? Czego można dowiedzieć się na tych zajęciach? Czy samodzielna lektura prasy i książek nie wystarczy? Czy zajęcia są bezpieczne dla maleństwa? Jak wybrać dobrą szkołę? Itd., itp.

SZKOŁA RODZENIA

Jeśli nie jesteś do końca przekonany o zaletach, jakie wynikają z uczestnictwa w szkole rodzenia, zapewne zadajesz sobie podobne pytania. Pozostańmy więc przy tym temacie.

Na ogół program takich szkół jest podobny i zawiera podstawowe wiadomości potrzebne matce i ojcu. Decyzję o zapisaniu się do szkoły rodzenia powinniście podjąć wspólnie, a także skonsultować ją ze swoim lekarzem prowadzącym. Jeżeli nie widzi on żadnych przeciwwskazań zdrowotnych, to już w 20. tygodniu ciąży możecie dzielnie przystąpić do nauki, której efektem mają być bezbólowe lub bezstresowe narodziny. Niektóre szkoły dokładnie określają moment rozpoczęcia kursu (np. 20., 26. lub 30. tydzień ciąży), inne pozostawiają tę decyzję przyszłym rodzicom.

Zajęcia w szkole rodzenia to doskonałe źródło wiedzy na temat ciąży, rozwoju, karmienia i pielęgnacji noworodka, możliwość przygotowania się do porodu, jego przebiegu, a także poznania procedur obowiązujących w szpitalu. Najlepsze miejsce, gdzie możesz zadawać pytania na wszystkie interesujące Cię tematy.

A O CZYM MOŻE BYĆ MOWA?

OMÓWIONE ZAPEWNE ZOSTANĄ:

★PRAWA PACJENTA, CZYLI TWOJEJ PARTNERKI,

★PODSTAWOWE ZMIANY W CIĄŻY FIZJOLOGICZNEJ, CZYLI JAK KOBIETA SIĘ BĘDZIE ZMIENIAŁA,

★DIETA PRZYSZŁEJ MAMY, CZYLI CO JECIE, PAMIĘTAJ O WSPIERANIU PARTNERKI,

★TYPOWE PROBLEMY CIĘŻARNYCH I WSKAZÓWKI, JAK SOBIE I JEJ POMÓC, CZYLI „CZĘSTOSIKANIE" I TEMU PODOBNE,

★BADANIA KONIECZNE W CIĄŻY, W TYM PRZEDPORODOWE BADANIA DZIECKA, CZYLI CO MUSISZ ZAPISAĆ W KALENDARZU I PILNOWAĆ RAZEM Z TWOJĄ KOBIETĄ,

★PRZEDSTAWIENIE PORODU FIZJOLOGICZNEGO - CO SIĘ DZIEJE PODCZAS PORODU KROK PO KROKU, A WŁAŚCIWIE PARCIE PO PARCIU,

★SYMPTOMY ZBLIŻAJĄCEGO SIĘ PORODU, CZYLI SKĄD WIESZ, ŻE ZARAZ SIĘ ZACZNIE,

★POTRZEBNA DOKUMENTACJA - WALIZKA RODZĄCEJ,

★ROLA PRZYSZŁEGO OJCA NA SALI PORODOWEJ I JEGO ZADANIA, CZYLI DLACZEGO, JAK JUŻ SIĘ NA TO ZDECYDUJESZ, NIE POWINIENEŚ OD RAZU MDLEĆ,

★FIZJOLOGIA NOWORODKA, CZYLI JAK CZĘSTO MALEC JE I ŚPI ORAZ DLACZEGO WŁAŚNIE TAK,

★PIELĘGNACJA NOWORODKA (WYPRAWKA, ORGANIZACJA KĄCIKA, KĄPIEL), CZYLI JAK UNIKNĄĆ UWAG W RODZAJU „NIE KĄP, BO UTOPISZ",

★ZNACZENIE KARMIENIA NATURALNEGO (ZASADY ODŻYWIANIA MAMY W OKRESIE KARMIENIA PIERSIĄ, TECHNIKI KARMIENIA), CZYLI DLACZEGO MUSISZ POŻYCZYĆ DZIECKU NA JAKIŚ CZAS BIUST TWOJEJ PARTNERKI,

★ZAJĘCIA PRAKTYCZNE, CZYLI NA PRZYKŁAD, JAK I DLACZEGO TWOJA KOBIETA POWINNA SAPAĆ I STĘKAĆ.

Dużo? Chyba nie. Pamiętaj, że są to wiadomości na ogół bardzo pomocne. W szkole rodzenia możecie też podjąć decyzję o tym, jak ma wyglądać Wasz poród oraz czy chcesz w nim uczestniczyć.

NO WŁAŚNIE... RAZEM CZY OSOBNO?

Do tej pory całą ciążę przeżywaliście razem – wszystkie wizyty u lekarzy, radość z pierwszych nieśmiałych ruchów dziecka, każde USG, zajęcia w szkole rodzenia – wszystko razem.

Miałeś nawet chwilami dziwne wrażenie, że oboje jesteście w ciąży. Aż wreszcie przyszedł moment na podjęcie decyzji dotyczącej tego najważniejszego wydarzenia, a zarazem wielkiego sprawdzianu – rodzimy razem czy też nie?

SZCZEGÓLNIE ISTOTNE JEST, ABY DECYZJA O TYM, JAKI RODZAJ PORODU WYBIERACIE, BYŁA PODJĘTA WSPÓLNIE.

Szczerze mówcie o swoich obawach, przedyskutujcie wszystkie za i przeciw. Nie przejmujcie się tym, co mówią znajomi i rodzina. Liczy się przede wszystkim to, abyście czuli się dobrze i komfortowo z decyzją, którą podejmiecie.

Niekiedy pary czują przymus wspólnego rodzenia, bo wszyscy znajomi wokół właśnie tak rodzili i bardzo to sobie chwalą – jednak to, czy chcecie i będziecie razem rodzić, powinno wypływać z WASZYCH potrzeb, a nie panującej akurat mody.

Nie daj się też, drogi ojcze, podpuścić mówiącym „No co ty, boisz się? Przecież to nic takiego". Pamiętaj, że Twoja partnerka i lekarze przyjmujący poród nie będą mieli czasu ani ochoty zajmować się Tobą, jeśli zrobi Ci się słabo.

Teoretycznie może być i tak: obawiasz się, że nie staniesz na wysokości zadania i zemdlejesz na widok swego pierworodnego/pierworodnej i z tego właśnie wynika Twoja niechęć do udziału w porodzie. W takiej sytuacji wątpliwości są więc normalne.

Ojcowie przede wszystkim zastanawiają się, czy rzeczywiście chcą uczestniczyć w takim wydarzeniu bądź też czy z powodu braku uczestnictwa nie zranią swoich partnerek? Czy potrafią znieść widok krwawiącej i krzyczącej ukochanej w sytuacji, gdy sami nie wierzą, że mogą jej pomóc?

Tak więc jeśli masz wątpliwości, czy zamiast pomóc partnerce, sam możesz wymagać opieki – lepiej zastanów się, zanim podejmiesz decyzję o uczestniczeniu w porodzie.

Każdy wybór jest właściwy. Musi być jednak zaakceptowany przez Was oboje. Jeśli macie podobne poglądy na tę sprawę, o wiele łatwiej jest dojść do porozumienia. Jeśli nie, należy dokładnie i o wszystkim ze sobą porozmawiać. Nie daj się szantażować i nie ustępuj, gdy masz, Twoim zdaniem, ważne powody, aby pozostać za drzwiami porodówki. Lepiej teraz wszystko sobie wyjaśnić, niż przez lata wysłuchiwać na każdym rodzinnym przyjęciu historii o tym, jak wpadłeś w panikę czy też padłeś zemdlony na sali porodowej. Nie pozwól, abyś się czuł wykorzystany i zignorowany. Powiedz otwarcie, jakie masz zdanie, i nie oczekuj, że partnerka sama się domyśli, czego chcesz.

Dodatkowym i niezmiernie ważnym czynnikiem w podejmowaniu decyzji jest jej akceptacja przez żonę oraz inne znaczące osoby z najbliższego otoczenia mężczyzny.

Decyzję „razem czy osobno" zawsze można zmienić. Często tata, który zarzekał się, że nie jest w stanie wziąć w tym udziału, pojawia się na sali porodowej, a kobieta, która chciała rodzić sama, z lę-

ku przed bólem prosi swojego męża o pomoc. Warto pamiętać, że najważniejsze
jest dobro maleństwa, i to ono przeżyje
najtrudniejsze i najbardziej niebezpieczne chwile.

Mężczyzna zdecydowany na uczestnictwo w porodzie dzisiaj nikogo już nie
dziwi. Ojcowie mówią otwarcie o moty-
wach swojej decyzji. Najczęściej jest to
chęć niesienia pomocy partnerce, a także wcześniejszego poznania dziecka i na-
wiązania z nim kontaktu.

Liczycie, że narodzi się między wami głębsza i bardziej świadoma miłość,
wzajemny szacunek i podziw za to, że
od pierwszych momentów życia dziecka
sprawdziliście się w roli ojca i matki.

Psychologowie badający zagadnienie
uczestnictwa ojców przy porodzie twierdzą, że na wspólny poród częściej de-
cydują się ojcowie opiekuńczy, cierpliwi
i współczujący. Ponadto są to mężczyźni
zadowoleni z własnego małżeństwa i mało stereotypowi.

Wielu mężczyzn podkreśla, że uczestnictwo w porodzie daje liczne korzyści.
Chodzi przede wszystkim o ugruntowa-
nie poczucia męskości, dowartościowa-

nie oraz pogłębienie uczucia do żony
i nawiązanie kontaktu z noworodkiem.

Obecność mężczyzny w czasie porodu zaspokaja również potrzeby rodzącej
kobiety, między innymi: potrzebę bezpieczeństwa, czułości i zrozumienia. Zmniej-
sza jej lęk przed porodem. Rzadziej za-
chodzi potrzeba zastosowania u kobiety
środków farmakologicznych bądź cesar-
skiego cięcia. Twoja obecność w czasie
rozwiązania ma również znaczenie dla
dziecka – naukowcy podają, że mężczyzna, który uczestniczył w narodzinach
dziecka, bardziej się do niego przywiązu-
je, jest bardziej zaangażowany i zaintere-
sowany jego rozwojem oraz opieką nad
nim.

Jeśli jednak nie zdecydujesz się na
wspólny poród, to pamiętaj, że jakoś nie
widać, aby pomimo coraz większej liczby ojców rodzących wraz z partnerkami
zmienił się znacząco obraz relacji rodzi-
cielskich i partnerskich.

PAMIĘTAJ WIĘC, ŻE WSPÓLNY PORÓD NIE JEST
WARUNKIEM SZCZĘŚCIA RODZINNEGO.

PRZYGOTOWANIE NA PRZYJĘCIE NOWEGO DOMOWNIKA

Gdy na świat przychodzi pierwsze dziecko, nic już nie jest takie jak dawniej – nasze mieszkanie również. Potrzeby nowego lokatora zmuszają do reorganizacji domu i zmiany poglądów na temat urządzenia i aranżacji wnętrz.

Niezależnie od tego, ile metrów kwadratowych zajmie królestwo nowego członka załogi, należy dokładnie przemyśleć strategię i taktykę wyposażenia oraz urządzenia miejsca dla malucha.

Nawet te praktyczne i trzeźwo myślące przyszłe matki w fazie wicia gniazda mogą stać się (i często się stają) nieobliczalne. Ulegają pokusie urządzenia „najsłodszego pokoiku pod słońcem", w którym maluch pławić się będzie w pianie różowych lub błękitnych falbanek, a całe wnętrze wypełniają maleńkimi, słodkimi, dzidziusiowymi mebelkami i niezliczoną ilością „słodkich misiaczków".

Aby nie dać się ponieść temu „słodkiemu szaleństwu", należy po prostu pamiętać, że... dzieci rosną. W ciągu najbliższych kilku lat Wasz maluch przejdzie wielokrotną metamorfozę – gaworzący osesek przeistoczy się w odkrywcę, potem przejdzie w fazę tornado, z której wyłoni się dynamiczny przedszkolak itd., itd.

Zarówno przy wyborze sprzętów, jak i stylistyki pamiętaj o tym, że w dziecięcym pokoju musi czuć się komfortowo, i miło zarówno niemowlak, przedszkolak, jak i potem uczeń.

Pokój dziecka powinien być pogodny i zapewniać poczucie bezpieczeństwa. Przy tym wszystko powinno być wykonane tak, żeby dało się łatwo myć, odku-

rzać, prać, zmieniać – jednym słowem, utrzymywać w porządku i czystości. Okazji do wykazania się sprawnością w tej dziedzinie przy dziecku nam nie zabraknie... Przy małym dziecku każdy ma szansę zdobycia sprawności „Mistrza szufelki".

Kiedy w końcu w Waszym domu pojawia się dziecko, to jest to istota wiecznie głodna i nieustająco śpiąca. Musi mieć więc gdzie spać i jeść. A rodzice muszą mieć gdzie trzymać pieluchy i ubrania, których olbrzymie ilości zużywa ten „cud" dzień w dzień.

Zatem oprócz zastanawiania się nad tym, czy lepszy miś różowy, czy bardziej różowy, pomyślmy przede wszystkim o tym, aby przestrzeń była funkcjonalna i wygodna dla nas samych, a co za tym idzie, i dla dziecka.

> POKÓJ DZIECKA POWINIEN BYĆ POGODNY I ZAPEWNIAĆ POCZUCIE BEZPIECZEŃSTWA. PRZY TYM WSZYSTKO POWINNO BYĆ WYKONANE TAK, ŻEBY DAŁO SIĘ ŁATWO MYĆ, ODKURZAĆ, PRAĆ, ZMIENIAĆ – JEDNYM SŁOWEM, UTRZYMYWAĆ

Zadania do Wykonania

☐ JEŚLI JESZCZE TEGO NIE ZROBIŁEŚ, ZNAJDŹ CZAS I ZABIERZ PARTNERKĘ W MIEJSCE, KTÓRE MA DLA WAS OBOJGA ZNACZENIE SENTYMENTALNE. PRZYTULAJ I WYJAŚNIAJ, TAK JAK TO POTRAFISZ NAJLEPIEJ, ŻE CIESZYSZ SIĘ, ŻE DOPUŚCIŁA CIĘ DO SWOICH KOBIECYCH PROBLEMÓW ZWIĄZANYCH Z CIĄŻĄ, ŻE NIE OCZEKUJE SAMOTNIE PRZYJŚCIA NA ŚWIAT WASZEGO MALEŃSTWA. ZADEKLARUJ TEŻ KONKRETNE WSPARCIE, NP. PRZEJĘCIE JAKIEGOŚ JEDNEGO CZY DWU DOMOWYCH OBOWIĄZKÓW. MÓW, ŻE SAM JESTEŚ BARDZO DUMNY Z FAKTU BYCIA OJCEM.

☐ ZAPROPONUJ ZMIANY W OBOWIĄZUJĄCEJ U WAS W DOMU DIECIE. STOSUJCIE JĄ OBOJE ALBO PRZYNAJMNIEJ ZREZYGNUJ Z NAJMNIEJ WSKAZANYCH POTRAW CZY NAPOJÓW. JEŚLI NP. LUBICIE WINO, TO WSTRZYMAJ SIĘ OD KIELISZKA DO KOLACJI.

☐ POPROŚ PARTNERKĘ, ABY RAZEM Z NIĄ IŚĆ NA WIZYTĘ KONTROLNĄ DO GINEKOLOGA I NA USG. PODCZAS WIZYTY ZADAWAJ PYTANIA I BĄDŹ AKTYWNY.

☐ WYSZUKAJ Z WŁASNEJ INICJATYWY ADRESY I INFORMACJE O SZKOŁACH RODZENIA ZNAJDUJĄCYCH SIĘ W DOGODNYCH DLA WAS LOKALIZACJACH. ZAPROPONUJ WYBÓR SZKOŁY. JEŚLI JEST TAKA MOŻLIWOŚĆ, TO NA ZAJĘCIA UCZĘSZCZAJCIE RAZEM.

☐ ZAARANŻUJ SPOTKANIE ZE ZNAJOMYMI, KTÓRZY NIEDAWNO STALI SIĘ RODZICAMI. NAJLEPIEJ GDZIEŚ POZA WASZYM DOMEM, ABY UNIKNĄĆ KONIECZNOŚCI PRZYGOTOWAŃ DO WIZYTY. MOŻE ZAPROSZĄ WAS DO SIEBIE, A WTEDY SAMI ZOBACZYCIE, ILE RADOŚCI PRZED WAMI...

☐ USTAL Z PARTNERKĄ SPRAWĘ TWOJEJ OBECNOŚCI PODCZAS PORODU. ZAREZERWUJ DUŻO CZASU NA TĘ ROZMOWĘ. SZCZERZE PRZEDSTAW SWÓJ PUNKT WIDZENIA I ARGUMENTY. WYSŁUCHAJ PARTNERKI I WSPÓLNIE PODEJMIJCIE DECYZJĘ. KONIECZNIE PORADŹCIE SIĘ W TEJ SPRAWIE PROWADZĄCEGO WAS LEKARZA GINEKOLOGA.

☐ ZRÓB REKONESANS I „ODKRYJ" (PO RAZ PIERWSZY LUB NA NOWO) WSZYSTKIE OKOLICZNE 24-GODZINNE SKLEPY. TO TAK NA WYPADEK JEJ ZACHCIANEK O 3 NAD RANEM.

czego się boisz

głupi...?

★ OGRANICZENIE WOLNOŚCI
★ JUŻ NIE JESTEM NAJWAŻNIEJSZY
★ DZIECKO TO TAKIE... NIEMĘSKIE
★ ODPOCZYNEK W PRACY?

NO WŁAŚNIE, DROGI OJCZE... CZEGO SIĘ BOISZ? TYTUŁ PRAWIE JAK W PIOSENCE JANA KACZMARKA, ZNANEJ W ZAMIERZCHŁYCH LATACH 80. UBIEGŁEGO STULECIA. UTWÓR TEN CO PRAWDA TRAKTUJE O CZYMŚ ZGOŁA INNYM NIŻ BYCIU TATĄ, NIEMNIEJ UKAZUJE POCZĄTEK DROGI PROWADZĄCEJ DO ♥OJCOSTWA♥. BOISZ SIĘ WIELU RZECZY, I TO JEST ZUPEŁNIE NATU-RALNE. OCZYWIŚCIE NAJCZĘŚCIEJ DOMINUJE RADOŚĆ I NIECIERPLIWE OCZEKIWANIE NA POTOMKA. NIE MA CO JEDNAK UDAWAĆ PRZED SAMYM SOBĄ I SWOJĄ PARTNERKĄ, ŻE NIE NURTUJĄ CIĘ OBAWY ZWIĄZA-NE ZE ZMIANAMI, KTÓRE SĄ PRZED TOBĄ. I PRZED WAMI. I TO NIE TYLKO JUTRO, ALE I ZA KILKA LAT. NO WIĘC OD POCZĄTKU...✿...

Zastanów się, czego się obawiasz najbardziej?

Już trochę o tym pisałam w rozdziale pierwszym, ale temat nie został wyczerpany.

Zapewne trudno jest Ci się w ogóle przyznać, że się boisz. Jak na prawdziwego mężczyznę przystało, nie chwalisz się tym, ale w głębi Ciebie kiełkuje już ziarenko lęku przed nieznanym.

NOWE OBOWIĄZKI

Jeszcze niedawno byłeś (Twoim zdaniem) niezależny i wolny, z żoną się już oswoiłeś i wiesz, że wybrałeś dobrze. Cieszycie się sobą i lubicie być razem. Zostaje Ci jeszcze sporo wolnego czasu na życiowe pasje i spotkania z przyjaciółmi. A tu nadchodzą zmiany...

Oczyma wyobraźni widzisz się już nad kadzią gotujących się pieluch. Resztkami sił kołyszesz na rękach rozwrzeszczane niemowlę. Marzysz tylko o jednym... uciec i więcej nie wracać. Ale nic z tego. Trzeba podjąć walkę.

Zdajesz sobie sprawę, że Ty już rośniesz co najwyżej wszerz, a maluch będzie potrzebował co chwila nowych śpioszków, kaftaników, czapeczek i Bóg jeden wie, czego jeszcze. Jak na to wszystko zarobić? Szczęśliwcy, których żony karmią dzieci piersią, nie tak dawno zarezerwowaną wyłącznie dla nich, nie będą musieli uczyć się rozróżniać kaszek, rodzajów mleka i herbatek. Jeśli jednak Twoja kobieta z wyboru lub konieczności nie będzie karmić piersią, musisz dostarczyć też dziesiątki i setki pudełek, puszeczek, słoiczków najróżniejszych superzdrowych i meganaturalnych kaszek, zupek, potrawek. A to dopiero początek.

OGRANICZENIE WOLNOŚCI I NIEZALEŻNOŚCI

Wyobrażasz sobie pełne współczucia spojrzenia kolegów, gdy zamiast iść gdzieś z nimi, będziesz szedł prosto do domu „zająć się" dzieckiem. Martwisz się, że teraz spoczywa na Tobie odpowiedzialność. Odpowiedzialność materialna, moralna, emocjonalna. Oprócz sześciopaku piwa w lodówce musi się znaleźć o wieeeele więcej. Skończą się swobodne wspaniałe wakacje we dwoje. Nie będzie już wieczorów u znajomych i imprez u Was. Nie będzie leniwych poranków i spokojnie przespanych nocy. Coraz częściej zastanawiasz się, czy to już kres Twojej niezależności?

Mam dwie wiadomości – dobrą i złą.

Zła to taka, że rzeczywiście bardzo wiele się zmieni. Nic i nigdy już nie będzie tak samo. Być może nie będziesz mógł spać tyle, ile lubisz, przez pierwsze kilka miesięcy po pojawieniu się dziecka w Waszym domu. Może zostaniesz zmuszony, by nauczyć się wielu „niemęskich" zajęć. Możliwe też, że będziesz musiał na jakiś czas schować do szuflady ulubione hobby. Ale czas płynie... i obiecuję Ci, że zmiany te nie muszą być trwałe.

Dobra wiadomość jest taka, że dziecko zwykle po kilku miesiącach zaczyna przesypiać noce, a wówczas zarówno Ty, jak i Twoja partnerka możecie znów się cieszyć Waszymi ulubionymi zajęciami. Zwykle po pierwszych tygodniach powoli uda się przywrócić normalność i powrócić – w pewnym zakresie – do przyzwyczajeń i zarzuconych czynności. Im bardziej będziecie we wszystkim razem, tym szybciej się z tym uporacie.

DZIECKO TO TAKIE... NIEMĘSKIE

Pamiętaj, że opieka nad dzieckiem to nie jest obowiązek przypisany tylko jednemu z Was. Czytaj: kobiecie. Porozmawiaj z partnerką i ustal, jak rozdzielicie między siebie zajęcia z tym związane.

Po pierwsze, oboje wówczas będziecie mieli nieco więcej luzu.

Po drugie, rozmawiając i wspólnie ustalając sprawy dotyczące opieki nad maluchem, stajecie się wspólnikami w przedsięwzięciu „Wychowanie dziecka". Ale musisz zauważyć pewne czyhające na Was niebezpieczeństwo.

Wyobraź sobie, że zakładasz z kimś spółkę. Powiedzmy, restaurację. Na początku jesteście równoprawnymi partnerami i udziałowcami. Ty zajmujesz się zdobywaniem środków na pokrycie kosztów otwarcia i zapewniasz pieniądze na działalność, a wspólnik pracuje na miejscu i dba o to, aby interes rozkwitał i był atrakcyjny. Harujecie od świtu do nocy, najlepiej jak potraficie, ale osobno. Wydatki rosną, więc Ciebie pochłania pogoń za dalszymi funduszami, a wspólnik jest coraz bardziej zmęczony codziennością. Nie macie czasu ani nawet chęci na wspólne ustalanie wystroju lokalu czy też menu. W końcu to Twój partner jest na miejscu i z pewnością sobie ze wszystkim poradzi. Ty zostajesz z boku i z wolna, lecz nieustannie tracisz kontrolę nad funkcjonowaniem waszej firmy. Owszem, inwestowałeś w nią jakieś pieniądze. Kto jednak będzie o tym kiedyś pamiętał? Dla gości restauracji jej właścicielem i twórcą pozostanie Twój partner. Ty przecież nawet nie wiesz, co jest w menu...

To samo stanie się w Twojej rodzinie, jeśli skupisz się na roli inwestora, dostarczyciela dóbr materialnych, pozostawiając przy tym funkcjonowanie domu, opiekę nad dzieckiem swojej partnerce. Z pewnością w ten sposób pozostawisz sobie sporo niezależności. Na pewno też, niestety, nie tylko nie zbudujesz ojcowskiej więzi ze swoim dzieckiem, ale przypuszczalnie oddalisz się od partnerki. Warto sobie to uświadomić na samym początku: obawa o utratę niezależności może spowodować, że wraz z upływem lat pozostanie Ci tylko i wyłącznie niezależność. I będziesz sam.

Wszystkie te lęki i obawy są naturalne, ale jest też druga strona medalu. Jest nią motywacja, nowy cel w życiu. Podniesienie poprzeczki skłania na ogół do większej mobilizacji. Nagle okazuje się, że możesz i więcej, i lepiej.

Co ciekawsze, często Ty sam nie dostrzegasz zmiany, ale z całą pewnością zauważa ją Twój przełożony. Nowa życiowa rola poszerza Twoje horyzonty, stajesz się bardziej kreatywny, sprawniejszy w działaniu. Awansujesz, dostajesz podwyżkę. Rozwijasz się. Okazuje się, że z życiowej i zawodowej rutyny, w którą być może już wpadłeś, wyrwało Cię Twoje dziecko, jego potrzeby i uczucie, jakim je darzysz.

Nie czuj się winny, wychodząc z pracy po ośmiu godzinach. Spraw raczej, by to Twój szef czuł się co najmniej nieswojo, każąc Ci zostać po godzinach. Pytasz, jak to osiągnąć? Po prostu ustaw na biurku zdjęcie dziecka i partnerki i przy każdej okazji opowiadaj, jakiego masz wspaniałego szkraba w domu.

Nauczysz się też cenić czas, który uda Ci się wygospodarować na własność. Zrozumiesz, że szkoda go na bezproduktywne gapienie się w monitor lub ćwiczenie palca pilotem telewizora. Być może wrócisz do dawno zarzuconego hobby. Będziesz chciał aktywniej spędzać czas. Zrobisz bardzo wiele, by nie dopuścić do tego, żeby Twoje dziecko wstydziło się, że ma ojca fajtłapę.

Rodzicami jest się razem. Najważniejsze jest uczucie, którym darzysz dziecko i partnerkę, oraz otwartość w omawianiu rodzinnych kłopotów i problemów, przed którymi z pewnością staniecie.

Pamiętaj, że w ciągu pierwszych lat życia dziecko na ogół jest w stanie uczestniczyć w ulubionych przez Ciebie zajęciach. Będzie więc mogło siedzieć przy Tobie, gdy oglądasz mecz czy też czytasz na głos książkę lub gazetę. Są też specjalne nosidełka lub wózki, które pozwalają zabierać ze sobą dzieci na dłuższe spacery i turystyczne szlaki. Spróbuj pogadać z bardziej doświadczonymi ojcami, na pewno podpowiedzą Ci wiele rozwiązań.

Pamiętaj, że bardzo łatwo wytworzyć sobie okropną wizję, w której cały swój wolny czas będziesz zmuszony poświęcić dziecku. Daj mu szansę, zaczekaj, aż przyjdzie na świat, aby móc ocenić, ile radości da Ci czas spędzony z córką lub synem.

NIE CZUJ SIĘ WINNY, WYCHODZĄC Z PRACY PO OŚMIU GODZINACH. SPRAW RACZEJ, BY TO TWÓJ SZEF CZUŁ SIĘ CO NAJMNIEJ NIESWOJO, KAŻĄC CI ZOSTAĆ PO GODZINACH.

JUŻ NIE JESTEM NAJWAŻNIEJSZY

W czasie ciąży organizm Twojej partnerki będzie przechodził ogromne przemiany: fizyczne, hormonalne i emocjonalne. Jednocześnie wszystko, czego Ty się obawiasz, ją również napawa niepokojem. Zmaganie się z tymi zmianami ma wpływ na zachowanie Twojej kobiety, a tym samym na nastrój Was obojga.

Zmienne nastroje mogą być trudne do zniesienia niezależnie od przyczyn, które je spowodowały. Najważniejsza jest cierpliwość i zrozumienie. Tylko wówczas uda się przetrwać w miarę bezboleśnie ten trudny okres. Na pocieszenie przypominam po raz kolejny, że zazwyczaj kobiece hormony stabilizują się około czwartego miesiąca ciąży.

Twoim zadaniem jako ojca jest wspomagać partnerkę i być z nią w tych trudnych i stresujących chwilach. Pamiętaj, że dla niej to też jest nowe przeżycie. Do tego kobieta, oprócz bycia w ciąży, jeszcze musi dziecko urodzić. Zastanów się, jak byś się czuł przez dziewięć miesięcy, wiedząc, że zbliża się z reguły bolesna, a czasem związana z ryzykiem chwila.

Twoja partnerka naprawdę musi wykazać się dużą odpornością psychiczną. Nie dokładaj jej kłopotów. To przecież Wasze dziecko, największy w życiu skarb.

Jeśli Twój związek przeżywał ostatnio nie najlepszy okres, to teraz właśnie jest doskonały czas, aby pokazać partnerce więź, która jest między Wami. Musisz zrobić wszystko, aby naprawić sytuację, zanim dziecko przyjdzie na świat. Potem Wasze sprawy muszą zejść na plan dalszy. Siłą rzeczy trudno Ci będzie skupić się na ojcowskich obowiązkach, jeśli między Tobą a partnerką nadal będzie „iskrzyć".

Niektórzy sądzą, że narodziny dziecka samoistnie uzdrowią ich związek. Nic bardziej mylnego! Jeśli tego nie zrobicie zawczasu, wpędzicie się w kolejną spiralę nieporozumień.

Nie mniejszą obawą napawa Cię myśl o czekających ograniczeniach życia sek-

NIEKTÓRZY SĄDZĄ, ŻE NARODZINY DZIECKA SAMOISTNIE UZDROWIĄ ICH ZWIĄZEK. NIC BARDZIEJ MYLNEGO! JEŚLI TEGO NIE ZROBICIE ZAWCZASU, WPĘDZICIE SIĘ W KOLEJNĄ SPIRALĘ NIEPOROZUMIEŃ.

sualnego podczas ciąży partnerki. „Będzie dziecko, nie ma seksu". To jeden z mitów, który, nie przeczę, czasem podtrzymywany jest przez kobiety. Mam nadzieję, że dość klarownie wyjaśniłam to zagadnienie w poprzednim rozdziale.

Problem życia seksualnego już po narodzinach dziecka może być dodatkowym, kłopotliwym czynnikiem wzbudzającym konflikty między Wami. Kobieta – matka zaabsorbowana sprawami dziecka, napięta emocjonalnie, niewyspana i zmęczona – może zupełnie nie być zainteresowana tym, co kiedyś oboje tak bardzo lubiliście.

Często możesz czuć się odrzucony i na tym polu, a to już może znacząco naruszyć dotychczasową stabilność Waszego związku. Okazuje się, że oziębłość seksualna kobiet niejednokrotnie ma swoje początki właśnie w tym okresie.

Przed Wami wiele problemów do rozwiązania, a jednym z nich jest możliwość zachowania pewnej intymności wobec własnych dzieci. Powinniście tak zadbać o organizację domu, by mieć zagwarantowaną prywatność dla siebie, zwłaszcza w określonych sytuacjach.

Przy tej okazji warto wspomnieć o – bardziej lub mniej świadomym – odgradzaniu się dzieckiem od partnera. Kilkuletnie dziecko, które ciągle śpi z mamą czy rodzicami – bo boi się spać samo – nie jest normalnym zjawiskiem (chociaż, niestety, dosyć częstym) i na pewno nie służy dobrze rozwojowi czy utrwalaniu więzi między Wami.

Coraz częściej słychać głosy, że postępujący kryzys rodziny ma związek z mężczyzną, a ściślej biorąc – z brakiem pozytywnego męskiego wzorca. Zbyt

wielu ojców nie okazuje zaangażowania w rodzinę i nie czuje odpowiedzialności za własne dzieci. Nie można jednak zapominać o tym, że są i tacy, którzy fantastycznie potrafią sprostać roli męża i ojca. Czemu nagle piszę o roli partnera? Ta rola jest bowiem ogromnie ważna.

O emocjonalnej jakości rodziny i osób, które z tej rodziny później wychodzą jako następne pokolenie, decydujecie Wy dwoje – Twoja partnerka i Ty, słowem rodzice.

Wasze wzajemne relacje powinny być więc przede wszystkim oparte na otwartości, zaufaniu do siebie, umiejętności rozmawiania ze sobą o sprawach ważnych i trudnych zarazem, zdolności do patrzenia na siebie i wzajemnego słuchania.

Czasem zdarza się tak, że ojciec „bywa" w domu, jest takim weekendowym tatą. To nie jest dobre ani dla dziecka, ani dla związku. Takie podejście ma swe korzenie w tradycyjnym modelu rodziny, który zupełnie nie sprawdza się jednak we współczesnym świecie.

Ciągle niewiele, ale i tak znacznie więcej niż jeszcze kilkanaście lat temu, wiemy o psychologii ojcostwa czy o życiu emocjonalnym rozwijającego się człowieka. Mimo to trzeba robić z tej wiedzy dobry użytek.

Związek dwojga ludzi, Wasze bycie razem, ma swoje etapy – lepsze i gorsze. Czasem są to kłopoty, problemy, a czasem wspólnie przeżywane radości i wzruszenia. Wszystko się zmienia, wraz z dojrzewaniem związku, zmienia się Wasza sytuacja zawodowa, ewoluuje otaczający świat. Wy sami się zmieniacie. Stajecie się... rodziną.

PO CO NAM TO BYŁO?

Narodziny pierwszego dziecka to często zarazem pierwsza poważna próba, przed jaką może stanąć stabilność Waszego związku.

Jeszcze przed tym wydarzeniem mogą się pojawić pierwsze trudności związane z szarą, zwykłą codziennością. Minął czas zauroczenia drugą osobą, czas spotykania się i spędzania ze sobą niemal wyłącznie przyjemnych chwil. Teraz to już codzienność – z przyjemnościami, owszem, ale też z obowiązkami, ograniczeniami, dzieleniem się. Teoretycznie wiadomo było, na czym polega codzienność, bo każda ze stron miała już przecież doświadczenia w tym zakresie. Ale teraz zaczyna się codzienność we dwoje, w nowym układzie. Drobne wady partnera czy partnerki, które dotąd były bardziej zaletami, zaczynają trochę przeszkadzać, a nawet denerwować. Jest to czas początków „docierania się" dwojga w nowej, wspólnie stwarzanej rzeczywistości.

W takim momencie zwykle pojawia się pierwsze dziecko. Jest ono planowane lub nie (w tym momencie), ale na ogół bardzo oczekiwane. Doświadczacie jako młodzi rodzice (możliwe, że młodzi tylko stażem) ogromnego napięcia emocjonalnego. Waszym udziałem są gorączkowe przygotowania, również do porodu rodzinnego.

I wreszcie pojawia się ONO. Nie można jednoznacznie opisać przeżyć związanych z tym faktem. Każde z Was przeżywa to wydarzenie nieco inaczej, ale dla wszystkich (niemal bez wyjątku), jest to doznanie mocne i niedające się z niczym porównać.

Prawie wszyscy wyobrażamy sobie siebie w roli rodziców, zanim się jeszcze nimi stajemy. Niestety, często są to nie do końca realne, a niekiedy zbyt idealistyczne wyobrażenia. Konfrontacja ich z tym, co naprawdę zaczyna się dziać, bywa niejednokrotnie pierwszym, cichym rozczarowaniem. Wasze życie zaczyna się toczyć między pieluchami, karmieniem, kolkami noworodka, jego płaczem, bezradnością, zmęczeniem spowodowanym nieprzespanymi nocami i tak dalej. Ta wyliczanka może być dość długa.

W TAKIEJ WŁAŚNIE CHWILI Z RACJI RÓŻNYCH OKOLICZNOŚCI ZACZYNA SIĘ WYTWARZAĆ SZCZEGÓLNA WIĘŹ MIĘDZY MATKĄ A NIEMOWLĘCIEM. TO PRZYWIĄZANIE. NIESTETY, Z TYCH SAMYCH I INNYCH POWODÓW NASTĘPUJE STOPNIOWE ELIMINOWANIE CIEBIE, OJCA, Z ŻYCIA DZIECKA.

Przyczyny tego stanu rzeczy są naturalne.

Matka w sposób biologiczny, i nie tylko, „zna" to dziecko od kilku miesięcy. Czuła je. Ty byłeś tego pozbawiony. Ty niejako musiałeś się uczyć relacji z dzieckiem od początku. Poza tym okoliczności zewnętrzne, czyli na przykład Twoja praca zawodowa, dodatkowo ograniczają ten kontakt. Jeżeli dodamy do tego wysoce prawdopodobną niedojrzałość emocjonalną Was obojga, brak czasu dla siebie i wzajemnej otwartości na siebie, może dojść do kryzysu.

Twoja partnerka może zawłaszczyć dziecko, traktując je trochę jak swoją zabawkę, nieco kłopotliwą, bo krzyczącą, ale jednak jej własną. Nie pozwoli sobie zabrać tej „lalki".

Ty z kolei możesz poczuć się odsunięty od swojej partnerki, więc własne dziecko możesz zacząć traktować jako swojego rywala. To wtedy właśnie orientujesz się, że cichutkie „misiu", „aniołku" czy „kochanie" skierowane jest już nie do Ciebie, ale do „tego kogoś" w łóżeczku. Jeżeli wtedy ktoś Wam nie pomoże – to ta obcość będzie się pogłębiała. Nawet gdy z czasem sprawy same się jakoś ułożą, nierozwiązany i nie do końca wyjaśniony problem może oddziaływać negatywnie na Wasze dalsze życie.

KIEDY TWOJA RODZINA PRZETRWA PIERWSZE MIESIĄCE I LATA BYCIA RODZICAMI, MOŻE POJAWIĆ SIĘ KOLEJNY TRUDNY CZAS. NASTĘPUJE TO MNIEJ WIĘCEJ WTEDY, GDY DZIECKO JEST W WIEKU PRZEDSZKOLNYM. POJAWIAJĄ SIĘ KOLEJNE ZABURZENIA WZAJEMNYCH RELACJI ORAZ TRUDNOŚCI ZWIĄZANE Z WYCHOWYWANIEM DZIECKA.

W tym okresie bardzo dużo czasu poświęcasz pracy zawodowej. Wynika to z Twojej pozycji jako pracownika, który musi się wykazać, chcąc zdobyć satysfakcjonujący dla siebie status. W związku z tym mało czasu poświęcasz rodzinie, w której czujesz się coraz bardziej gościem.

Mając zarazem świadomość zaniedbywania rodziny, czujesz się coraz bardziej sfrustrowany. Wpływa to na Twoje samopoczucie, obniża próg tolerancji, pojawia się irytacja, która najczęściej ujawnia się w domu. Nie sprzyja to dobrym relacjom emocjonalnym – ani w kontaktach z dziećmi, ani z partnerką. Wręcz

przeciwnie, spirala napięcia się nakręca, oddziałując również na sferę intymną między Wami – spada poziom satysfakcji doznawanej przez obie strony, a to wprost prowadzi do oddalania się od siebie.

Koszmarna wizja? Pamiętaj, że nie musi tak być. Od Ciebie przecież zależy – a w zasadzie od Was obojga – jak będzie wyglądał Wasz dom i Wasza rodzina.

Jak potoczyć się może życie w Waszej rodzinie? Wraz z upływem czasu efekty zaangażowania zawodowego bywają zaskakująco dobre. Masz niezłą pracę i pensję. Być może udało się Wam zebrać jakiś dorobek, na który ciężko pracowaliście. Macie już w domu kilka kosztownych drobiazgów. „Zabawki" te w pewnym momencie przestają już cieszyć i wtedy – przy braku więzi emocjonalnej, która mocno osłabła przez Wasze zaniedbanie – pojawia się pustka i nuda. Ogniwem łączącym stać się może wtedy właśnie dziecko. To jest jeden wariant, być może mniej częsty, ale jednak spotykany.

Bywa też sytuacja zupełnie odwrotna. Ty masz poczucie, że się „nie realizujesz". Praca (dobrze, że w ogóle ją masz) nie daje Ci właściwej satysfakcji. Pracujesz dużo, a efekty są ciągle mizerne. Spędzasz wiele godzin poza domem, próbując podreperować budżet domowy. Oceniasz siebie nisko, czasem wprost lub nie wprost słyszysz to też od swojej partnerki. Masz świadomość, że w domu jesteś gościem. Wracasz zmęczony, na budowanie dobrych relacji z dziećmi i własną żoną nie masz siły, a czasem brakuje Ci chęci, bo wyczuwasz nieme pretensje ze strony żony. I dalszy scenariusz, podobnie jak ten opisany poprzednio, jest przewidywalny: coraz bardziej się od siebie oddalacie.

A co dzieje się w tym czasie z Twoimi dziećmi? Jest to zwykle okres przedszkola i pierwszych klas szkoły podstawowej. Dziecko (dzieci) weszło już w szerszą społeczność rówieśniczą. Dla Ciebie i Twojej partnerki jest to trochę jak sprawdzian z rodzicielskiego wychowania. Zadajecie sobie pytanie: czy udało nam się przygotować dziecko do samodzielności pozwalającej funkcjonować w grupie? Odpowiedzi są różne i nie zawsze zgodnee u obojga. Czasem stanowi to źródło konfliktu między Wami. Ty masz pretensje do żony w tej sprawie, a ona pyta Cię – a Ty gdzie wtedy byłeś?

Innym, potencjalnym problemem pojawiającym się w tej fazie małżeństwa jest nadmierne skoncentrowanie się na sprawach dzieci, a zaniedbanie siebie jako partnerskiej pary. Niektórzy rodzice przestają myśleć o sobie jako małżonkach. Jesteście przede wszystkim mamusią i tatusiem dla swoich dzieci. Nawet tak do siebie mówicie.

Dla większości rodziców dzieci są największym skarbem i trudno się temu dziwić. Jest to oczywiste i zupełnie normalne. Nie znaczy to jednak, że ten skarb musimy ciągle mieć w swoim zasięgu. Dla higieny psychicznej małżonków, dla higieny emocjonalnej związku byłoby bardzo dobrze, byście mogli przynajmniej kilka dni w roku mieć siebie wyłącznie dla siebie, zachowując jednocześnie świadomość, że Wasze dzieci są w tym czasie bezpieczne. Jest to bardzo potrzebne, gdyż w przeciwnym przypadku może nastąpić coś, co można by określić mianem „zmęczenia materiału rodzicielskiego".

Efekt tego jest taki, że dzieci są rozdrażnione, bo – między innymi – wyczuwają niepokój i napięcie pomiędzy Wami. Wy z kolei jesteście sfrustrowani z powodu słabnącej więzi. W tej sytuacji nie potraficie dać sobie wzajemnie wsparcia, którego tak naprawdę oboje potrzebujecie – i tak nakręca się błędna spirala.

Zorganizowanie czasu wyłącznie dla Was samych może różnie wyglądać i w tym miejscu trudno byłoby mi wymyślać konkretne scenariusze. Po prostu puśćcie wodze fantazji i działajcie. Przypomnijcie sobie czas zalotów, narzeczeństwo czy miesiąc miodowy.

> TAKIE ZANIEDBANIE PARTNERSKICH RELACJI, ZWŁASZCZA GDY UTRZYMUJE SIĘ DŁUŻEJ, NIE SŁUŻY DOBRZE NIKOMU. NA PEWNO NIE SŁUŻY WIĘC WAM I DZIECIOM. JAK TEMU ZARADZIĆ? PO PROSTU NIE ZASYPIAĆ GRUSZEK W POPIELE. POWINNIŚCIE DUŻO ROZMAWIAĆ, CZYLI MÓWIĆ I SŁUCHAĆ. WRACAJCIE SŁOWAMI I EMOCJAMI DO NAJLEPSZYCH WASZYCH LAT. WALCZCIE O ZWIĄZEK I RODZINĘ.

WZORCE RODZINNE

Do partnerstwa i do życia w rodzinie – czyli do roli partnera lub rodzica – tak naprawdę nikt wprost nas nie przygotowuje. Jedyną autentyczną szkołą w tym zakresie jest własna rodzina i wzorce, jakie z niej czerpiemy.

Jak wiadomo, rodziny są bardzo różne. Niestety, w ich funkcjonowaniu zauważyć można niekiedy rozmaite patologie. I niekoniecznie chodzi mi wyłącznie o te związane z tzw. marginesem społecznym. Ogromnym problemem jest patologia emocjonalna, czyli prowadzenie przez partnerów życia poniekąd obok siebie, a nie razem. Na czym polega ta choroba?

Głównymi objawami są zaniki więzi, brak otwartości, nieumiejętność rozmawiania, ucieczka od spraw ważnych. Oprócz tego mamy wówczas do czynienia z chłodem emocjonalnym oraz ze sztywnością myślenia.

W praktyce oznacza to, że tylko jedno i zawsze jedno z partnerów ma swoisty monopol na rację i prawdę, podczas gdy pozostali członkowie rodziny mają potulnie słuchać i nie dyskutować. To tylko niektóre przejawy patologii emocjonalnej. W praktyce jest ich znacznie więcej. Nie będę jednak o tym dalej pisać, bo książka zrobi się niebezpiecznie „polityczna".

Paradoksalnie wiele takich zimnych emocjonalnie rodzin postrzeganych jest przez znajomych jako zgodne i wzorowe. Niestety, to tylko zasłona dymna.

Tam, gdzie relacje są nacechowane szczerością, miłością i wzajemnym szacunkiem, mogę być spokojna o emocjonalną jakość rodziny, nawet jeżeli po

drodze zdarzą się poważne sytuacje kryzysowe. Tacy partnerzy stanowią niewątpliwie dobry wzorzec dla wychowywanych dzieci. Jest prawie pewne, że zrobią one z tej nauki właściwy użytek. Myślę, że to najlepszy posag, jaki Wy, rodzice, możecie dać swoim dzieciom.

Wielu z Was wzrastało w tradycyjnym domu bez ojca. Nie mieliście więc często szczęścia wzrastać w domu zdrowym emocjonalnie.

Przede wszystkim, musicie uświadomić sobie swój „chory balast emocjonalny". Nie jest to łatwe, bo nawyki, jakie wynosimy z domu, są bardzo silne i głęboko zakorzenione.

Jeżeli całe życie słyszeliście od rodziców: „nie ufaj nikomu, świat jest okrutny i niebezpieczny, przed nikim się nie otwieraj" i tym podobne bezcenne rady, to one w Was funkcjonują, niezależnie od Waszej świadomości. Innych, bardziej otwartych reakcji musicie się dopiero nauczyć.

Jeśli w Waszym domu rodzinnym nie było zaufania i szczerości między rodzicami, jeśli nie macie wzorców do naśladowania, będzie Wam trudno. Ale warto spróbować. Możecie stać się wspaniałymi partnerami i ojcami. Dacie radę.

Tam, gdzie brak zdrowych relacji emocjonalnych między dorosłymi, często pojawia się też inny rodzaj patologii rodziny. Stopniowo tworzą się nieformalne, chore koalicje w jej wnętrzu. Na przykład mamusia jest w koalicji z synusiem przeciw tatusiowi albo córeczka w koalicji z tatusiem – przeciw mamusi. Tych chorych konstelacji koalicyjnych może być oczywiście znacznie więcej. Każdy taki „młody koalicjant" wychodzi z domu bardzo okaleczony emocjonalnie i jest dość kiepskim materiałem na partnera życiowego – chyba że po drodze się wyprostuje albo wyprostuje go życie. Poznajesz siebie w którymś z powyższych opisów? A może widzisz swojego ojca? Pamiętaj, doświadczenia się nie dziedziczy. Wszystko możesz zmienić.

Jeżeli mówimy o problemach społecznych młodego pokolenia i załamujemy nad nimi ręce, to pamiętajmy, że jednym z istotnych źródeł tych kłopotów są chore emocjonalnie rodziny. Te rodziny bazują na chorych układach małżeńskich, które kształtują emocjonalnie pokaleczonych ludzi, a ci z kolei nie potrafią żyć w żadnym zdrowym układzie społecznym – ani w małżeństwie, ani w rodzinie. Pamiętajcie o tym. Los Waszych dzieci zależy od Was.

Zadania do Wykonania

- ☐ PRZYGOTUJ KOLACJĘ PRZY ŚWIECACH. ZAPROŚ SWOJĄ KOBIETĘ DO TAŃCA. POWSPOMINAJCIE, JAK TO „DRZEWIEJ BYWAŁO". POZWÓLCIE SIĘ PONIEŚĆ WSPOMNIENIOM I PRZYPOMNIJCIE SOBIE, DLACZEGO ZDECYDOWALIŚCIE SIĘ ZE SOBĄ BYĆ. NASTĘPNIE POROZMAWIAJCIE I ZAPROPONUJ CZYNNOŚCI OPIEKUŃCZE, W KTÓRYCH CHCIAŁBYŚ UCZESTNICZYĆ.

- ☐ ZRÓBCIE Z PARTNERKĄ LISTĘ I PODZIELCIE SIĘ DOMOWYMI ORAZ RODZICIELSKIMI OBOWIĄZKAMI. POSTARAJ SIĘ BYĆ SPRAWIEDLIWY I JEŚLI JEST CZAS WOLNY DLA CIEBIE, TO MUSI BYĆ I DLA NIEJ.

- ☐ POWIEDZ LUB NAPISZ DO PARTNERKI LIST, W KTÓRYM POSTARAJ SIĘ WYMIENIĆ WSZYSTKO, CO W NIEJ KOCHASZ.

- ☐ POROZMAWIAJCIE O PRZYSZŁOŚCI WASZEGO ZWIĄZKU. POSTARAJCIE SIĘ OMÓWIĆ WSZYSTKO, CO NAJWAŻNIEJSZE, A O CZYM NIE ROZMAWIALIŚCIE „OD WIEKÓW".

- ☐ ZORGANIZUJ OPIEKĘ DLA DZIECKA NA WIECZÓR I ZABIERZ KOBIETĘ SWOJEGO ŻYCIA DO KINA, TEATRU LUB GDZIEKOLWIEK, BYLE POZA DOMEM. PAMIĘTAJ, ŻE KONIECZNIE MA SIĘ WYSTROIĆ. JAK ZA DAWNYCH CZASÓW KUP JEJ KWIATY.

MAŁE
jest piękne

♡ NASZE DZIECKO ROŚNIE
♡ PIERWSZE DNI I TYGODNIE
♡ OJCOWSKIE BHP I MATCZYNE LĘKI
♡ TO NIE KONIEC ŚWIATA

WASZE DZIECKO JEST WRESZCIE NA ŚWIECIE. PARTNERKA WRÓCIŁA DO DOMU PO PORODZIE I OD RAZU WSZYSTKO CIĘ PRZERAŻA. PATRZYSZ NA NOWORODKA Z NIEDOWIERZANIEM I LĘKIEM, BO JEST TAKI MAŁY I DELIKATNY. ZAZDROŚCISZ CZASEM KOBIECIE PEWNOŚCI PRZY „SERWISOWANIU" DZIECKA. TY PEWNIE BOISZ SIĘ JE WZIĄĆ NA RĘCE. NIE MARTW SIĘ. JUŻ ZA KILKA DNI ŚWIETNIE BĘDZIESZ SOBIE DAWAŁ RADĘ I TAK JAK TWOJA PARTNERKA ROZPOZNASZ, CZEGO POTRZEBUJE. MUSISZ SOBIE JEDNAK ODPOWIEDZIEĆ NA PYTANIE, CZY TY JESTEŚ JUŻ ♥OJCEM♥, CZY NA RAZIE OGRANICZASZ SIĘ DO ROLI POMOCNIKA MAMY?

Zostałeś ojcem. To nie koniec świata, choć czasem masz takie przeczucie. To początek nowej jakości. Oczywiście, nic nigdy nie będzie już tak samo. Pewnie, że nie.

Będzie inne, lepsze, wspanialsze.

Nie czekaj na bycie ojcem, aż maluch zacznie mówić lub chodzić. Twoje dziecko już dziś potrzebuje taty!

NASZE DZIECKO ROŚNIE – PIERWSZE DNI I TYGODNIE

Po porodzie Twój syn czy córka ma zapewne z lekka opuchnięte powieki, mocno zaróżowioną, pomarszczoną skórę i chwilami odnosisz wrażenie, że ma lekko zniekształconą głowę. Mogą na niej też występować drobne krwiaczki (zwłaszcza na policzkach i na powiekach), wynikłe z przeciskania się przez kanał rodny.

Wiele maluszków ma całe ciało okryte delikatnymi włoskami. Pamiątka po przodkach z małpiego gaju. Wszystko nadal jednak mieści się w normie i objawy te wkrótce znikną.

Musisz też być świadom, że na głowie noworodka znajdują się dwa miękkie miejsca, tzw. ciemiączka, które z wiekiem zarastają.

Nie licz zbytnio na wyrazy uwielbienia przy każdym Twoim ukazaniu się na horyzoncie. Wzrok niemowlęcia jest jeszcze słabo rozwinięty: noworodek widzi czarno-biało i nieostro. Ruchy gałek ocznych nie są dobrze skoordynowane, więc może Ci się wydawać, że dziecko ma zeza. Gdy się nad nim nachylisz, potrafi na chwilę zatrzymać wzrok na Twojej twarzy. Jeśli jednak koniecznie chcesz zaprezentować się dziecku, to przysuń się na odległość 20–30 cm, gdyż z takiego właśnie dystansu widzi ono najlepiej.

Od samego początku postaraj się przejąć część obowiązków przy dziecku. Czasem musisz o to powalczyć. Nie daj sobie wmówić, że nic nie potrafisz i że doglądanie niemowlęcia to babski przemysł, bo to nieprawda. Możesz i powinieneś je przewijać, kąpać, podawać w nocy do karmienia. No bo karmić, przynajmniej piersią, rzeczywiście jeszcze nie umiesz.

To nieprawda, że mężczyzna nie potrafi zajmować się maleńkim dzieckiem tylko dlatego, że jest mężczyzną. Wszystkiego (no, może oprócz wspomnianego karmienia piersią) możesz się nauczyć. Nie martw się, że początki są trudne, Twoja partnerka też nie urodziła się z umiejętnością przewijania czy kąpania. Na pewno wraz z ilością spędzanego z dzieckiem czasu dojdziesz do wprawy. Byleś się nie zniechęcał i nie dał „na chwilkę zastąpić" koalicji kobitek tylko czyhających na chwilę zawahania z Twojej strony. Na pewno świetnie dasz sobie radę.

Czy to już wszystko i czy teraz jesteś już tatą? O tym nie decyduje moment zapłodnienia czy nawet narodziny dziecka. Wszystko zależy od tego, czy chcesz zbudować z dzieckiem niepowtarzalną więź, wziąć za niego odpowiedzialność, uczestniczyć w jego rozwoju.

I choć tatą możesz poczuć się w pierwszej minucie życia maleństwa, niejednemu mężczyźnie potrzeba wielu miesięcy, zanim zrozumie, na czym polega ojcostwo. Tracą na tym przede wszystkim dzieci. Niemowlęta, którym w pierwszych miesiącach tatusiowie nie poświęcają odpowiednio dużo czasu, są mniej radosne i mniej ufne niż te, które wychowują się w ich bliskości.

Dawniej, ale na szczęście te czasy powoli odchodzą, do obowiązków mężczyzny należało jedynie zarabianie pieniędzy, utrzymywanie dyscypliny w domu i ewentualnie dawanie „buzi na dobranoc".

Teraz wystarczy, że zapamiętasz, iż jedynymi kwalifikacjami potrzebnymi do zajmowania się dzieckiem są dobre chęci i dużo miłości. Nie obawiaj się, że zrobisz krzywdę tej delikatnej istocie. Niech Ci się nie wydaje, że nie rozumiesz potrzeb niemowlęcia i nie wiesz, jak się nim opiekować.

Wiem, że w tym poczuciu niekompetencji mogą jeszcze utwierdzać wszystkie otaczające Cię kobiety (Twoja żona, matka lub teściowa). Są one na ogół święcie przekonane, że tylko ta, która rodzi, zna się na wychowywaniu dzieci. Twoim zadaniem jest wyprowadzić je z błędu. Im szybciej, tym lepiej.

NIE POZWÓL SIĘ ZEPCHNĄĆ NA DRUGI PLAN I SPROWADZIĆ DO PODRZĘDNEJ ROLI:

★ „KAMERDYNERA", GDY SŁYSZYSZ NA OGÓŁ: Z OTCHŁANI ŁAZIENKI: „KOCHANIE PRZYGOTUJ STOLIK DO PRZEWIJANIA I SPRAWDŹ, CZY OLIWKA I TALK SĄ NA „SWOIM MIEJSCU"; PO POWROCIE ZE SPACERU: „MISIU, PRZESTAW PROSZĘ TEN WÓZEK, WIDZISZ, ŻE NIE BĘDĘ MIAŁA JAK PRZEJŚĆ DO KUCHNI";

★ „PRZESZKADZACZA", GDY DOWIADUJESZ SIĘ: „ODSUŃ SIĘ TROSZKĘ, ZASŁANIASZ NASZEJ KRUSZYNCE ŚWIATŁO", „NIE WCHODŹ TERAZ DO POKOJU, BO NASZE SŁONKO ZARAZ ZAŚNIE";

★ „GAPIA"; POPATRZ KOCHANIE SOBIE SPOKOJNIE, A JA Z MAMUSIĄ (TEŚCIOWĄ) WYKĄPIEMY NASZE MALEŃSTWO", ZERKNIJ, CZY NASZ ANIOŁEK MA GŁÓWKĘ ODWRÓCONĄ W PRAWĄ, CZY LEWĄ STRONĘ".

★ „NADZORCY", KIEDY JEDYNYM ARGUMENTEM DYSCYPLINUJĄCYM DZIECKO JEST ZDANIE „POCZEKAJ, PRZYJDZIE OJCIEC, TO CI DOPIERO POKAŻE". CO PRAWDA NA OGÓŁ (I BARDZO DOBRZE) NIC NIE POKAZUJE, ALE MAMIE WYDAJE SIĘ, ŻE RZUCIŁA STRASZLIWĄ GROŹBĘ.

Nieprawdą jest, jakoby tylko matki instynktownie potrafiły opiekować się swoim dzieckiem, a tatusiowie nie posiedli tego daru. Badania wykazały, że – drogi ojcze – reagujesz na płacz dziecka tak samo jak jego matka. Nie bardzo rozumiem, po co ktoś robił takie badania, skoro wiadomo, że głuchota albo jej brak nie zależy od płci. Te same zapewne badania odkryły również sensacyjną prawdę, że tatusiowie mogą być na równi z mamami wrażliwi na wysyłane przez niemowlę sygnały. Pod jednym podstawowym i arcyważnym warunkiem – że spędzają więcej czasu w dziecięcym pokoju niż przed telewizorem.

Pamiętaj również, że czas wyrozumiałości dla Twej kobiety jeszcze się nie skończył. Staraj się nie przejmować i obrażać na cały świat z powodu nieporządku w kuchni czy rosnącej obok pralki sterty brudnych rzeczy. Zrób to sam, a jeśli nie umiesz, to poczekaj, aż mama Twojego dziecka nabierze wprawy i pewności siebie, przestanie się bać nowej sytuacji. Najważniejsze jest teraz Wasze maleństwo. Wszystko inne może poczekać.

Znacznie szybciej „poczujesz się" tatą, jeśli od narodzin dziecka będziesz spędzał z nim jak najwięcej czasu. Poza tym naprawdę nic nie stoi na przeszkodzie, abyś zamiast stroić fochy, podwinął rękawy i zabrał się do roboty. Prawda?

Byłoby idealnie, gdybyś mógł zostać w domu choćby przez kilka dni. Powinieneś być przecież włączony w opiekę nad swoim dzieckiem od pierwszego dnia jego życia! Weź trochę urlopu i poświęć go tylko rodzinie. Całkowicie! Nie zabieraj się do sprzątania garażu czy załatwiania zaległych spraw. Wiem, że łatwo tak mówić. Ale da się to zrobić. Dasz radę. Zamiast wyjść do kumpla, pobądź z dzieckiem. Warto.

To szczególny czas dla Waszej rodziny – dopiero poznajecie swoje maleństwo. Oczywiście poznajecie też siebie nawzajem. Na nowo.

Dzięki temu, że będziecie razem, możecie wiele spraw załatwić i ułożyć. Czasy, kiedy jedynie mama zajmowała się dzieckiem, dawno minęły.

PUŁAPKI PIERWSZYCH TYGODNI

Skoro, więc już ustaliliśmy, że razem z partnerką wspólnie wchodzicie w nowy etap Waszego rodzinnego życia, warto zwrócić uwagę na kilka czyhających na tej drodze pułapek.

★ODWIEDZINY

Postaraj się wyperswadować rodzicom i teściom kilkutygodniowe odwiedziny. Obecność wielu osób wprowadza tylko chaos i zamieszanie, a cała Wasza rodzinka potrzebuje teraz spokoju. Jeśli będziecie sami, to będziesz miał wyjątkową okazję, by poznać swoje dziecko i szybko sam staniesz się ekspertem w opiece nad nim.

Dbaj też o to, by w ciągu następnych miesięcy móc od czasu do czasu spędzać kilka dni tylko z rodziną. Mama odpocznie, a Ty będziesz miał okazję, by ponosić malca na rękach, wycałować brzuszek, pokazać świat za oknem. Dopiero po Twoim powrocie do pracy warto poprosić o pomoc dziadków.

Staraj się uchronić dom przed tłumem krewnych i znajomych, którzy po miesiącach oczekiwania na nowego człowieka chcą go jak najszybciej zobaczyć, poznać i przynieść te wszystkie kupowane dotąd w tajemnicy prezenty. Dziadkowie, kuzynki, przyjaciółki, sąsiadki...

Twoja partnerka nie ma serca odmówić, dlatego to Ty właśnie musisz wkroczyć do akcji. Starajcie się rozplanować odwiedziny i ustalić, ile będą trwały. Może przeznaczyć na nie jeden lub dwa dni w tygodniu. Przecież dziecko będzie z Wami już zawsze i można je obdarować prezentami za jakiś czas.

PIELĘGNACJA

★KĄP SWOJE DZIECKO

To idealne zadanie dla każdego ojca.
W czasie kąpieli dziecko czuje się najpewniej w rękach taty. Po prostu są większe
i dają noworodkowi poczucie bezpieczeństwa. Początki bywają trudne. Po kilku
dniach poczujesz się pewniej.

Zanim włożysz maluszka do kąpieli,
sprawdź, czy woda ma około 37°C.
Na początku przyda się termometr.
Zainwestuj w matę antypoślizgową lub
gąbkowy materacyk. Możesz też wykładać wanienkę tetrową pieluszką. Jedną
dłoń trzymaj zawsze podłożoną pod
głowę i kark. Drugą myj dziecko. Mycie
zaczynaj od głowy, a kończ na pupie.
Uważaj, by nie zalać dziecku oczu i uszu.
Możesz wywołać bardzo głośny płacz.
Oczy i uszy możesz przemyć później na
przewijaku. Kąpiel niemowlaka powinna
trwać najwyżej kwadrans. Wraz z wiekiem może trwać dłużej. I wtedy dopiero
jest zabawa.

★ZMIENIAJ MU PIELUCHY

Czy wiesz, kiedy trzeba przewinąć dziecko? Po każdej kupce, a tych noworodek
potrafi wyprodukować 8–10 dziennie!
Lub po trzech godzinach. Nim zaczniesz
przewijanie, przygotuj wszystko, co jest
potrzebne, w zasięgu ręki lub obu rąk.

NIGDY, PRZENIGDY NIE ZOSTAWIAJ DZIECKA
SAMEGO NA PRZEWIJAKU LUB STOLE,
BY PO COŚ PÓJŚĆ...

★POŁÓŻ DZIECKO NA PLECACH

Uwaga! W żadnym wypadku nie podciągaj dziecka do góry za stópki. To bardzo
wygodny sposób, ale niezdrowy dla
bioder malucha. Wycieraj pupę nawilżonymi chusteczkami (u dziewczynki
rób to zawsze w kierunku do pupy, czyli
z góry na dół). Potem umyj pupę wodą
i mydłem. Zanim założysz suchą pieluchę, pozwól dziecku chwilę poleżeć na
golasa. Możesz wówczas nacieszyć się
do woli i wycałować malutkie wierzgające stópki.

Uwaga! Zdarza się, że maluszek
w międzyczasie zrobi jeszcze siusiu.
Wówczas jeszcze raz trzeba go umyć.
Potem posmaruj pupę kremem przeciw
odparzeniom, tylną część pieluchy podłóż pod pupę, a przednią przełóż między
nogami. Zapnij. I co? Udało się... Ciekawe, za którym razem.

★ZORGANIZUJ POMOC W PRACACH DOMOWYCH I STARAJ SIĘ SAM POMAGAĆ JAK NAJWIĘCEJ

Nawet najlepszy mąż może nie znosić prasowania czy odkurzania. Poszukaj kogoś, kto mógłby Wam pomóc w gospodarstwie domowym. Przynajmniej na początku dobrze jest mieć jakiś margines bezpieczeństwa w postaci pomocnej dłoni. Więcej czasu będziesz mógł wówczas poświęcić dziecku i partnerce.

Nawet jeśli w szkole rodzenia pilnie słuchałeś rad, jak powinno się ubierać dziecko, w praktyce może czekać Cię kompletna klęska. Na szczęście metodą prób i błędów dojdziesz do wprawy. Pamiętaj jednak, że dziecko chętniej się rozbiera niż ubiera. Na ogół nie lubi czapeczek i jakichkolwiek czynności w okolicach głowy. Poza tym jest Was dwoje i nie zapominajcie o tym.

★MÓW ŻONIE, ŻE JEST NAJLEPSZĄ Z MAM

Nawet gdy czasem coś jej się nie uda-je, wspieraj ją. Nie pozwól jej „wpaść" w czarną dziurę samokrytyki. Cały czas wzmacniaj ją, doceniaj i bądź dumny z jej osiągnięć na matczynym polu. Do znudzenia (na pewno się jej nie znudzi) powtarzaj, że jest najlepszą mamą na świecie. Postaraj się tylko nie mówić tego zbyt często w obecności swojej mamy.

★SPRAWIAJ, ŻEBY CZUŁA SIĘ PIĘKNA

Kobiety nie potrafią patrzeć na siebie tak, jak patrzą na nie mężczyźni, a szczególnie mężczyźni zakochani. Dlatego nie szczędź komplementów. To prawda, że pochwały z ust ukochanego mężczyzny mogą zdziałać cuda. Choćby Twoja partnerka miała podkrążone oczy i przetłuszczone włosy, w Twych oczach jest przecież zawsze tą jedyną i najpiękniejszą. Mów jej to. Im częściej, tym lepiej. Zobaczysz, jaką Twoje słowa mają moc.

★ZADBAJ O JADŁOSPIS KARMIĄCEJ MAMY

Przygotowywanie posiłków dla karmiącej mamy to niełatwa sprawa. Muszą dostarczyć jej energii, ale nie mogą zaszkodzić dziecku. Szczególnie trzeba uważać na alergeny. OK. Przepraszam, na składniki posiłków powodujące różne uczulenia.

Jeśli lubisz eksperymentować w kuchni, to droga wolna. Jeżeli nienawidzisz gotować – szukaj pomocy u babć. Polecam jednak zdecydowanie samodzielne próby kulinarne. Poza wszystkim innym może to być dla Was obojga wspaniała zabawa. No i oczywiście, jak wszyscy wiedzą, faceci najlepiej gotują. Jeśli tylko chcą.

CHOĆBY TWOJA PARTNERKA MIAŁA PODKRĄŻONE OCZY I PRZETŁUSZCZONE WŁOSY, W TWYCH OCZACH JEST PRZECIEŻ ZAWSZE TĄ JEDYNĄ I NAJPIĘKNIEJSZĄ. MÓW JEJ TO. IM CZĘŚCIEJ, TYM LEPIEJ. ZOBACZYSZ, JAKĄ TWOJE SŁOWA MAJĄ MOC.

★PODARUJ SWOJEJ KOBIECIE CZAS TYLKO DLA NIEJ

Zauważasz, że Twoja kobieta jest „przeźroczysta", smutna lub wręcz przeciwnie – jest rozdrażniona i agresywna. Nie myśl sobie od razu, że ma do Ciebie jakieś pretensje czy żale. Jest po prostu piekielnie zmęczona. Rada jest oczywista i najprostsza na świecie. Daj jej odpocząć. Nie od wielkiego dzwonu rzucając po powrocie z pracy ni stąd, ni z owąd: „Może byś gdzieś wyszła, kochanie? Wyglądasz na wyczerpaną". Twoja partnerka potrzebuje po prostu systematycznie (jak każdy ciężko pracujący człowiek) czasu, podczas którego będzie mogła oderwać się od codziennych trosk i obowiązków. Najlepiej gdy jest to czas każdego dnia.

Daj jej jedną godzinę dla niej samej. Stać Cię na to, prawda? I nie chodzi tu o cztery osobne kwadranse, tylko o bite 60 minut w jednym zgrabnym kawałku. To czas, kiedy ona ma spróbować zapomnieć o tym, że jest TYLKO mamą. Uwierz – ta godzina będzie dla Twojej kobiety bezcenna, a Ty również odczujesz zmianę na lepsze. Poza tym będziesz w tym czasie ze swoim dzieckiem.

Nie próbuj, chłopie, udawać mamy, by nawiązać więź ze swoim potomkiem. Masz do odegrania w jego życiu własną – wcale nie drugoplanową – rolę. Znaczenie, wartość i unikalność Twojej relacji z synem czy córką polega właśnie na tym, że jest ona zupełnie niematczyna.

Dzięki temu, że latoroślą zajmujecie się oboje, dokonuje ona w dwójnasób fascynujących odkryć – zauważa, że mamusia ma miękką i gładką skórę, delikatne ręce i łagodny głos i pięknie pachnie, Tata dla odmiany ma szorstką dżunglę brody, duże dłonie i niski dudniący głos.

W TATOWYCH RAMIONACH DZIECKU JEST PEWNIEJ I BEZPIECZNIEJ, SĄ PRZECIEŻ SZERSZE I MOCNIEJSZE. TY JESTEŚ SPOKOJNIEJSZY I MNIEJ SKŁONNY DO EGZALTACJI, ŁATWIEJ WIĘC UKOISZ PŁACZ, GDY MAMA JEST JUŻ ZMĘCZONA I ZDENERWOWANA. A KIEDY MALUSZEK ZACZYNA POZNAWAĆ ŚWIAT POZA SWOIM ŁÓŻECZKIEM, POKAŻESZ NAJCIEKAWSZE GRY I ZABAWY. MASZ, OJCZE, NA TAK ZWANYM WEJŚCIU WIĘKSZE ZAUFANIE DO DZIECKA, POZWALASZ MU NA SAMODZIELNOŚĆ. TO DLATEGO POD TWOIM OKIEM MALUCH ZAZWYCZAJ SZYBCIEJ OPANOWUJE NAUKĘ CHODZENIA.

Pamiętaj o tym, by oprócz wygospodarowania czasu dla mamy swojego dziecka znaleźć czas tylko dla siebie i dla malca. Często miłość rodzi się już na sali porodowej, gdy świeżo upieczony tata po raz pierwszy trzyma w ramionach mały, choć przecież największy na świecie cud.

Co prawda bywają ojcowie rozczarowani wyglądem i zachowaniem noworodka, bo krzyczy, jest czerwony, spuchnięty i nie przypomina uśmiechniętych bobasów z reklam. Nic w tym dziwnego. Niemowlęta z kolorowych folderów nie przeciskały się chwilę wcześniej przez otwór nieco mniejszy niż średnica kufla od piwa. Jeśli Twoje dziecko nie oczarowało Cię od pierwszego momentu, to nic się nie martw. Usiądź przy jego łóżeczku i poprzyglądaj mu się, gdy śpi. Zobaczysz, jakie jest do Ciebie podobne.

Czasem miłość rodzi się powoli, dlatego po narodzinach dziecka powinieneś wziąć nie dwa dni, ale co najmniej dwa tygodnie urlopu i spędzić je z maluchem i jego mamą.

Poznawanie dziecka nie polega tylko na przytulaniu czyściutkiego, najedzonego i uśmiechniętego niemowlęcia, nakarmionego, umytego i uspokojonego przez mamę. Frajda zaczyna się dopiero wtedy, gdy z dumą zamkniesz za sobą drzwi sypialni, gdzie po raz pierwszy w swoim życiu samodzielnie położyłeś dziecko spać. Więź rodzi się przede wszystkim wówczas, gdy maluszka przewijasz, a on właśnie wtedy postanowi zrobić siusiu, chcesz go nakarmić, a bananowa papka ląduje na Twojej czyściutkiej koszuli, utulić, a Twoja kruszynka wyje zdecydowanie głośniej niż Marilyn Manson – gdy to chłopiec, lub Mandaryna – gdy jesteś ojcem dziewczynki.

Wspólne przezwyciężanie trudności zdecydowanie zbliży Was – Ciebie i Twojego szkraba – do siebie. Właśnie wtedy możesz nauczyć się rozpoznawać i zaspokajać potrzeby swojego dziecka, poznać jego reakcje, znaleźć z nim specyficzny język. Kiedy to się uda, oboje z partnerką macie już z górki.

Brzmi obiecująco, prawda? Ale nic za darmo. Najpierw czeka Cię czas dzielenia wraz z partnerką nieprzespanych nocy, ograniczenia życia towarzyskiego, rezygnacji przynajmniej z części przyjemności, np. codziennego oglądania filmu w telewizji, wyjścia na mecz siatkówki z kolegami czy spania do południa w każdy wolniejszy dzień.

Wielu mężczyzn buntuje się przeciw takiemu ograniczeniu wolności. To nie musi jednak wyglądać tak strasznie. Jeśli spróbujecie razem zaangażować się w opiekę nad dzieckiem i zabawę z nim, prawdopodobnie stwierdzisz, że to wcale nie jest wysoka cena. Bo co jest warte więcej niż uśmiech Twojej córeczki czy syna, gdy Cię zobaczy, i dotyk malutkich rączek wyciągniętych do Ciebie na powitanie?

Nic nie może równać się z uczuciem sprawiania radości malcowi podczas łagodnego kołysania na kolanach. Nie mówiąc o tym, że pewnego dnia usłyszysz upragnione „ta-ta". I sam rozpłyniesz się ze szczęścia. No sam powiedz, czy nie warto troszeczkę pocierpieć? Jasne, że warto.

Z listu matki do syna pilota: „Lataj synku nisko i powoli". Coś w tym jest. Dla matki najbezpieczniejszym pojazdem dla jej syna jest bowiem trójkołowy rowerek. I to dla syna w każdym wieku.

Wiele mamusiek najchętniej zamknęłoby swoje dziecko w szklanym kloszu i usiadło na nim. I tu jest właśnie zadanie dla Ciebie, szanowny ojcze. Za nic na to nie pozwól! Spowoduj, że wszystkie takie szalone pomysły Twej partnerki nigdy nie ujrzą światła dziennego.

Twoim zadaniem jest okiełznanie wszystkich paranoi nieprzytomnej ze zdenerwowania kobiety, której dziecko:

ZA MAŁO JE, ZA DUŻO JE, ZA MAŁO ŚPI, ZA KRÓTKO ŚPI, DLACZEGO TAK DŁUGO ŚPI? PŁACZE, NIE PŁACZE, A INNE PŁACZĄ, ZJADŁO KLOCEK, NIE ROBI KUPY, KUPA ŻÓŁTA, CHYBA MA ZEZA, MOŻE MA KOLKĘ, NIE SIADA, ZA SZYBKO SIADA, NIE ROSNĄ MU ZĘBY... ITD., ITP

Czasem kobieta nie jest w stanie zapanować nad swoimi lękami, więc zrób to za nią, dla niej i oczywiście dla Waszego dziecka.

Kiedy Twoja zdenerwowana ukochana już od godziny próbuje wszystkiego, by uspokoić wrzeszczące maleństwo (skąd ono ma tyle siły w sobie, pytasz sam siebie?), po prostu wyjmij je z jej rąk i zatańcz z dzieckiem. Twój spokój mu się udzieli.

Potem, kiedy już Wasze dziecko spokojnie może zasnąć (wcześniej po prostu nie mogło, bo przecież mama była strasznie zdenerwowana i trzeba było wrzeszczeć), oczywiście pamiętaj, by uspokoić także kobietę. Ona bowiem siedzi w kuchni, obgryza paznokcie i zastanawia się, czy jest bardziej wyrodną, czy bardziej nieporadną matką.

Dziecko rośnie, a wraz z nim oczywiście lęki mamy. Teraz już nie dość, że dziecko szybko biega, to jeszcze może się przewrócić, spocić i na pewno zaziębić. Z czasem zacznie mieć nieodpowiednie towarzystwo i za dużo własnych pomysłów, ale to dopiero za kilka lat. Na szczęście.

Czy zauważyłeś, że rana szarpana spowodowana zadraśnięciem o trawę w oczach mamy zawsze jest co najmniej tak wielka jak ta zadana przez walecznego dorsza z filmu „Szczęki"? Mamy często przesadzają, to już wiesz, ale Ty też musisz pamiętać, żeby nie wmawiać swojemu kilkuletniemu synowi, że mężczyźni nie płaczą. Bo to nieprawda. Płaczą. Jak boli. Jak są szczęśliwi. Płaczą, ale nie są mazgajami, a to różnica.

Każdy tata powinien pamiętać o jeszcze jednej podstawowej zasadzie. A mianowicie o zasadzie ograniczonego zaufania.

!! NIE WOLNO CI ZOSTAWIĆ DZIECKA ANI NA MOMENT SAMEGO – W TEJ KWESTII BIERZ PRZYKŁAD Z JEGO MAMY.

Nawet jeśli czujesz, że się na coś z dzieckiem umówiłeś. Miał poczekać przed sklepem. Nie poczekał? Nic dziwnego, zobaczył coś, co było ciekawsze niż czekanie. I poszedł. Bo zapomniał, że się umówił. Bo zawsze Ty go pilnowałeś. Nie miej więc pretensji do niego, przecież to Ty go nie upilnowałeś.

Powinieneś mieć oczy dookoła głowy. I musisz mieć wyobraźnię. Staraj się przewidywać i myśleć. I dobrze jest, jak masz w kieszeni plaster i chusteczki do nosa. Taki męski niezbędnik.

Na wycieczce rowerowej Ty ponosisz odpowiedzialność, że dziecko spadło z rowerka. Bo przecież mu obiecałeś, że przy Tobie nic mu się nie stanie. I bądź też gotów na reprymendę od kobiety. Skoro obiecałeś...

Tata córki powinien poza tym wiedzieć, czym się różni różowy od różowego. I dlaczego ten pierwszy jest ładniejszy.

To by było na tyle tak zwanej lekkości bytu. Czas, drogi tato, na konkrety. Stąd nieco więcej powagi i skupienia proszę.

Każdy tata w pewnym momencie staje twarzą w twarz z zagadnieniami dotyczącymi dyscyplinowania dziecka. Wielu nie potrafi wówczas podjąć decyzji, czy, kiedy i jak ukarać. Jedni z Was udają, że właściwie nic się nie stało, inni eksplodują krzykiem niczym milion megaton semteksu, a jeszcze inni sprawdzają odporność dziecięcej skóry na bodźce fizyczne, czyli po prostu spuszczają lanie, manto, dają wciry. Czy jak tam sobie ten wycisk nazwą.

Zazwyczaj nie wyobrażacie sobie wychowania bez dyscypliny. Nie ma w tym nic dziwnego, ale problem nie leży w tym, czy karać. Chodzi o to, jak wychowywać dzieci, by kary nie były w ogóle potrzebne. Kształtowanie małego człowieka nie powinno opierać się na karach! Nie zastanawiaj się więc nieustannie, jakie z nich są najskuteczniejsze lub, co gorsza, najdotkliwsze.

Karanie w żadnym wypadku nie jest rozwijające dla dziecięcej samodzielności i samodyscypliny. Problemy, które chcesz w ten sposób wyeliminować, szybko powrócą w nieco zmutowanej formie. Tak, aby trudniej Ci było skutecznie zareagować. Dziecko skupi się na tym, by osłabiać dotkliwość kary, a Ty – by ją wzmocnić. To trochę jak wyścig zbrojeń. Ty produkujesz broń, a Twój aniołek natychmiast wzbogaca swój arsenał o antybroń.

Spróbuj więc podejść do zagadnienia dyscypliny w taki sposób, by zamiast karać dziecko za to, czego nie pochwalasz, promować i wspierać zachowania przez Ciebie akceptowane. Postaraj się ograniczyć zakazy i krzyki, że o dawaniu klapsów nie wspomnę. Podejmij próbę, jedną, drugą i następne, dogadania się z dzieckiem i stopniowo ustal z nim granice, których przekraczać nie może. Łatwiej to osiągniesz, jeśli użyjesz prostego fortelu.

Wyobraź sobie siebie pracującego np. w biurze. Twój szef spotyka się z Tobą regularnie i śledzi postępy w pracy nad powierzonymi Ci projektami. Chwali Twoje pomysły, a jeśli coś zrobiłeś nie tak, tłumaczy, że nie o to mu chodziło, i wyjaśnia dokładnie, czego oczekuje w przyszłości. Twoja praca jest doceniana i czujesz się równoprawnym partnerem swojego szefa. Cenisz go za jego wyrozumiałość, cierpliwość, jasny i konkretny sposób przekazywania informacji i poleceń. Nieźle byłoby mieć takiego szefa. Wymaga, ale docenia. Przy nim Twoja wiedza szybko się poszerza, więc awansujesz i wkrótce sam kierujesz innymi.

To jedna historia. W innej również pracujesz w biurze i masz szefa, lecz na tym kończą się analogie. Twój przełożony rzadko ma dla Ciebie czas i niekiedy wydaje się, że w ogóle o Tobie nie pamięta. Czasem tylko wpada i każe Ci coś zrobić, nie wyjaśniając, jak, po co i – co równie ważne – dlaczego. Potem wzywa „na dywanik" i robi Ci piekielne awantury, nie bardzo wiesz, dlaczego, ale w końcu domyślasz się, że coś źle zrobiłeś. Nie wiesz jednak do końca, z jakiego powodu Twoja praca nie znalazła uznania przełożonego. Musisz ponieść karę. Nie będziesz uczestniczył w żadnych szkoleniach. Poza tym musisz wykonywać więcej pracy. Nadal nie wiesz jak, więc nie pracujesz w ogóle i chowasz się przed swoim szefem. Opowiadasz mu zmyślone historie, żeby tylko się na Ciebie nie zdenerwował i nie ukarał. Z czasem jesteś coraz bardziej sfrustrowany i zestresowany. Nienawidzisz tej pracy, biura, a przede wszystkim jego. Wmawiasz sobie, że nic nie umiesz i nigdy się nie nauczysz. Co gorsza, nawet nie chcesz zdobywać jakiejkolwiek wiedzy. Dla Ciebie to i tak nie ma sensu.

Taka właśnie jest różnica między wychowaniem przez nagrodę i stymulację samodoskonalenia z jasnym pokazaniem zasad i reguł a wychowaniem przez karę. Myślę, że dodatkowy komentarz jest zbyteczny.

Nie szczędź maluchowi pochwał i nagród w każdym przypadku, gdy stosuje się do wyznaczonych uprzednio jasno i klarownie reguł.

Zastanawiasz się zapewne, kiedy Twoje dziecko wie, co mu wolno, a czego

nie. Nie potrafimy jeszcze dokładnie określić, w jakim wieku maluch umie ocenić konsekwencje swych postępków czy zachowań. Nie wyobrażaj więc sobie, że Twoje dziecko urodziło się z tą wiedzą. Zdecydowanie bezpieczniej będzie, jeśli przyjmiesz, że dziecko do czasu, gdy na jego urodzinowym torcie ustawisz dwie świeczki, nie ma bladego pojęcia o związkach przyczynowo-skutkowych. Co tu się z resztą dziwić. Często dorośli mają na ten temat wiedzę, łagodnie mówiąc, mglistą.

Spróbuj metodą prób i błędów znaleźć optymalny dla jego wieku sposób dyscyplinowania dziecka. Pamiętaj, że musisz wziąć przy tym pod uwagę, na jakim poziomie Twój szkrab jest w stanie zrozumieć polecenie. Nie każ więc swojej rocznej córeczce czy synkowi przynieść ze środkowej szuflady etażerki po lewej stronie małego owalnego pudełka i położyć go w szafce pod zlewozmywakiem, usuwając z niej uprzednio beżową gąbkę. Formułuj krótkie i jasne prośby: zdejmij sweterek, połóż lalkę do łóżeczka itp. W ten sposób osiągniesz najlepszy efekt. Stopniowo zwiększaj złożoność poleceń. Dzieci bowiem zadziwiająco szybko się uczą.

Najlepszym i najbardziej efektywnym sposobem na pokazanie dziecku, co jest dobre, a co złe, jest własny dobry przykład, stanowcze reagowanie na złe postępowanie i konsekwencja. Dzieci uczą się przez naśladowanie.

Zachowuj się w sposób, jakiego potem oczekujesz od dziecka. Nie zapominaj NIGDY, że najlepszą metodą wychowawczą jest nagroda. Chwal dziecko zawsze, gdy dobrze się zachowuje.

W przypadku młodszych dzieci powinieneś przede wszystkim zapobiegać złemu zachowaniu. Dobrym sposobem jest odwracanie uwagi od problemu.

Mów swemu dziecku o swoich emocjach, aby wiedziało, jak postrzegasz jego zachowanie. Trafna ocena własnych emocji i ich wpływu na innych nie jest umiejętnością, którą można opanować szybko. Uczymy się jej często przez całe życie.

Niewłaściwe zachowanie malca nie wynika z chęci zrobienia Ci na złość czy ze złego charakteru. To swoisty eksperyment, którego celem jest poznanie Twoich reakcji. Od nas więc zależy, czy niepożądane zachowania wejdą na stałe do repertuaru malucha.

Szantaż, kaprysy lub nieposłuszeństwo to dla małego dziecka sposób na określenie relacji między Tobą a nim. Nie daj się sprowokować. Jeśli zachowasz spokój i będziesz konsekwentny, dziecko dowie się, na ile może sobie pozwolić, i przekona się, że nie działa zasada: „Jeśli będę głośno krzyczeć, tata zrobi wszystko, co chcę". Dowie się również, że niegrzeczne zachowanie to zły sposób na zwrócenie na siebie uwagi. Z całą pewnością ustalisz w ten sposób, kto rządzi w domu.

NAJLEPSZYM I NAJBARDZIEJ EFEKTYWNYM SPOSOBEM NA POKAZANIE DZIECKU, CO JEST DOBRE, A CO ZŁE, JEST WŁASNY DOBRY PRZYKŁAD, STANOWCZE REAGOWANIE NA ZŁE POSTĘPOWANIE I KONSEKWENCJA. DZIECI UCZĄ SIĘ PRZEZ NAŚLADOWANIE.

GDY COŚ SIĘ UDA, JEST NAGRODA, GDY JEST NIEPOSŁUSZNE, BYWA I KARA

Wsparcie i nagroda dają najlepsze rezultaty – to już wiesz. Ale nie zapominaj również, że nagrodą nie musi być nic materialnego. Dziecko powinno otrzymać sygnał, że doceniasz jego właściwe zachowanie. Uważaj jednak, aby nie przerodziło się to w przekupstwo. Naucz dziecko, że czasem musi zrobić coś, za czym nie przepada, aby zasłużyć na coś, co uwielbia. To jest ważna lekcja.

KARY I ZBYT WYSOKIE WYMAGANIA MOGĄ POWODOWAĆ OBNIŻENIE SAMOOCENY DZIECKA.

Nie usprawiedliwiaj złego zachowania dziecka jego wiekiem czy zmęczeniem. Ustal precyzyjne reguły i określ jasno, jakiego zachowania oczekujesz. Zawsze bądź konsekwentny.

Jeśli czujesz, że między Tobą a Twoją partnerką występują jakieś różnice dotyczące spraw wychowywania dziecka, ustal wspólną linię postępowania. Nigdy nie rób tego jednak dopiero wtedy, kiedy już wynikną problemy i w żadnym wypadku nie przy dziecku.

Wkrótce nauczysz się odróżniać niewinnego rozrabiakę od dziecka, które z premedytacją postępuje niezgodnie z ustalonymi zasadami. Jeśli ono źle się zachowuje, powiedz, by przestało, i wytłumacz, jakie będą następstwa nieposłuszeństwa. Zawsze daj ostrzeżenie. Jeśli to nie zadziała, zastosuj wcześniej zapowiedzianą karę.

Nie obawiaj się jej zastosowania, jeśli tego wymaga sytuacja. Jest to niezwykle ważne, gdyż w ten sposób dziecko prze-

kona się, że nie rzucasz słów na wiatr. Będzie czasem ciężko, ale z pewnością się opłaci.

LAMENT, KRZYK I HISTERYCZNE SZLOCHY

Dziecko krzyczy lub mówi zbyt głośno najczęściej po to, by zwrócić na siebie uwagę. Nigdy nie podnoś głosu, aby je przekrzyczeć. W ten sposób jedynie nauczysz je, że rację ma zawsze ten, kto mówi najgłośniej. Ściszając głos, skłaniasz je do skupienia się na tym, co chcesz powiedzieć. Oczywiście, przy okazji uspokajasz w ten sposób emocje, zarówno swoje, jak i dziecka.

Denerwuje Cię, gdy dziecko ignoruje Twoje polecenia? Nic w tym dziwnego, jeśli wydajesz je w chwili, gdy właśnie zajęło się nową zabawką. Nikt nie lubi, gdy się go zaskakuje i odrywa od fascynującego zajęcia. Ty przecież także nie. Postaraj się dać dziecku czas na zakończenie zabawy i dopiero wtedy egzekwuj polecenie. Postaraj się uprzedzać dziecko, co zaraz nastąpi. Za pięć minut zaczniemy szykować się na spacer. Pozbieraj zabawki, by być gotowym. Itp.

Upewnij się zawsze, że dziecko rozumie, co do niego mówisz. Powiedz bardzo jasno i konkretnie, czego oczekujesz. Nie wydawaj zbyt wielu poleceń naraz. Nie pytaj, czy coś zrobi, powiedz, że ma to zrobić. Zawsze je pochwal za wykonanie polecenia, nawet jeśli wydaje Ci się, że to normalne, że je wykonało.

Małe dziecko często jest przekonane, że świat istnieje jedynie dla jego wygody, a co za tym idzie, nie widzi niczego złego w przerywaniu Twoich zajęć. Pokaż dziecku, że szanujesz jego zajęcia, a ono będzie szanowało Twoje. Gdy jednak bez przerwy Ci przeszkadza, po prostu powiedz mu o tym i wytłumacz dlaczego.

Najlepszą, najbardziej skuteczną metodą pozwalającą na oduczenie dziecka poniżej dwóch lat histeryzowania czy wymuszania wrzaskiem jest ignorowanie takiego zachowania. Powiedz dziecku, że jego wrzaski nie robią na Tobie wrażenia. Nie zamartwiaj się, że dziecko schowało się pod stół i wyje. Poczekaj, aż mu przejdzie, i dopiero się nim zajmij. Jeśli nie będzie widowni dla histerii, nie będzie i histerii.

Spokojnie poczekaj. Nie zwracaj uwagi, gdy dziecko krzyczy czy piszczy. Zajmij się nim i pochwal zachowanie, gdy jest grzeczne.

KŁAMSTWA, KŁAMSTEWKA I FANTAZJOWANIE

Dzieci fantazjują, koloryzują i, niestety, czasem kłamią. Nie zdają sobie sprawy z tego, że mijanie się z prawdą jest czymś niewłaściwym. Ich wyobraźnia jest tak żywa, że często nie odróżniają faktów od fikcji, ale nie znaczy to, że kłamią z rozmysłem. Jeśli kłamią, to dlatego, że zapominają, jaka jest prawda. Czasem kłamią ze strachu, a czasem „życzeniowo", czyli podążają za swoimi marzeniami. Powinieneś nauczyć się odróżniać kłamstwo od fantazjowania.

Jeśli dziecko skłamie i jesteś pewny, że zrobiło to świadomie, porozmawiaj z nim, nie spiesz się z oskarżeniami. Nie reaguj zbyt ostro. Nie karz dziecka, jeśli samo się przyzna. Pochwal raczej za to, że powiedziało prawdę. Spraw, by odczuło, że ucieszyła Cię jego prawdomówność.

Zamiast jednak rozprawiać o niegodziwości kłamstwa, lepiej wyjaśnić, dlaczego warto mówić prawdę. W sytuacji, kiedy masz wątpliwości, czy dziecko skłamało, czy powiedziało prawdę, zawsze lepiej, byś uwierzył dziecku. Emocjonalna cena, jaką zapłaci ono za niesłuszne posądzenie, będzie o wiele wyższa od tej, jaką zapłacisz Ty, przepuszczając kłamstwo.

Najczęstszym sposobem, w jaki możesz sam nauczyć dziecko oszukiwania, jest niespełnianie obietnic. Jeżeli chcąc coś uzyskać, składasz dziecku przyrzeczenie i go nie dotrzymujesz, przesyłasz prosty komunikat, że tak można robić. Dziecko, nauczone takim doświadczeniem, będzie już wiedziało, że to wygodny i szybki sposób osiągnięcia celu.

PYSKÓWKA I PODWÓRKOWA „ŁACINA"

Dzieci z początku nie wiedzą, co to znaczy brzydko się wyrażać, a mimo to mają „wspaniałą" umiejętność używania nieodpowiednich słów w niewłaściwym czasie. Umiejętność tę rozwijają, zwłaszcza gdy Twoja reakcja na pewne słowa jest przesadna. Wtedy możesz być pewny, że ponownie usłyszysz brzydki wyraz, a dziecko wypowie go tylko po to, by sprawdzić, jak zareagujesz tym razem.

Czasem się śmiejesz, kiedy dziecko mówi brzydki wyraz. Pamiętaj jednak, by nigdy tego nie robić. Dziecko może wtedy odnieść wrażenie, że aprobujesz takie zachowanie.

Pilnuj się także, aby nie używać słów nieparlamentarnych przy dziecku, a jeśli to robisz, nie dziw się, że je powtarza. Przecież chce być tylko takie jak Ty.

Gdy dziecko nie przeklina, lecz tylko pyskuje, musisz szybko znaleźć dobre rozwiązanie. Nie jest to łatwe. Przede wszystkim powinieneś zastanowić się, co powoduje takie zachowanie. Zacznij od nazwania uczuć i emocji. Powiedz dziecku, że dostrzegasz jego zdenerwowanie i problem, staraj się opracować wraz z nim sposób poprawienia sytuacji. Jeśli nadal nie uznaje Twoich racji, powiedz, że to jest niedopuszczalne zachowanie, określ zasady i trzymaj się ich.

Jeśli bawisz się z dzieckiem, a ono zaczyna pyskować czy krzyczeć, powiedz mu, że przestaniesz się z nim bawić, jeśli będzie się w ten sposób odzywało. Powiedz to raz (ale nie krzycz), lecz stanowczym tonem. Pyskowanie to często dziecięcy sposób wyrażania niezależności. Im częściej dziecko ma możliwość wyboru, im więcej decyzji podejmie samodzielnie, tym mniejsze prawdopodobieństwo, że będzie się kłócić czy pyskować.

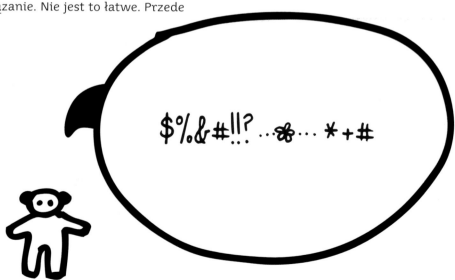

SKĄD U MOJEGO DZIECKA AGRESJA?

Jeśli uważasz, że u swojego potomka masz do czynienia z wrodzoną agresją, to oznacza, że nie rozumiesz psychiki dziecka oraz że prawdopodobnie zaniechałeś rozpoznania i podjęcia jakichkolwiek działań wychowawczych we właściwym czasie.

Dzieci zachowują się agresywnie, gdy czują się odrzucone lub niesprawiedliwie traktowane. Są złe, gdy zbyt często słyszą, że są głupie i do niczego się nie nadają. Biją, kopią, gryzą czy nawet plują, gdy nikt nie docenia ich osiągnięć. Reagują agresją, gdy czują się niekochane, na przykład z powodu naszych problemów małżeńskich lub kiedy są zazdrosne o rodzeństwo.

Agresja może się też pojawić, gdy stawiasz dziecku zbyt wygórowane wymagania albo pozwalasz im wierzyć, że nie są w stanie im sprostać.

Dzieci mogą zachowywać się agresywnie, jeśli ich naturalna potrzeba aktywności i ruchu pozostaje niezaspokojona. Częstym powodem jest to, że zostały zmuszone do rezygnacji z czegoś, na czym im zależało, a Ty nie zadałeś sobie trudu, by wytłumaczyć mu, dlaczego było to konieczne.

Agresywne zachowania ujawniają się, gdy dzieci same doświadczają przemocy i agresji lub są jej świadkami i traktują to jako zachowanie normalne. Nauczone złym przykładem, mogą być przekonane, że bicie, gryzienie i drapanie to zwykły sposób rozwiązywania konfliktów. Nie potrafiąc nawiązać kontaktu z innymi dziećmi w grupie, chcą zwrócić na siebie uwagę i stosują jedyną znaną sobie metodę – bicie.

Oczywiście nie możesz na to pozwolić, choć gdzieś tam w głębi serca nie masz nic przeciwko temu, by syn „wyrósł na wojownika”, a córka „dawała sobie radę w życiu”. Ale nie tędy droga. Nie możesz pozwolić przecież, by Twoje dziecko biło lub krzywdziło w jakikolwiek sposób inne dzieci.

Musisz więc po prostu zawsze reagować na przemoc czy agresję i uczyć dziecko innych sposobów załatwiania swoich spraw.

WYCISZENIE

Wyciszenie to jedna ze skutecznych metod, którą możesz zastosować, by uspokoić dziecko. W ten sposób pomożesz mu dojść do siebie po ataku złości i nauczysz kontrolowania własnych emocji. Wyciszenie pomaga w opanowywaniu histerii. Technika ta nie przyniesie jednak oczekiwanego skutku u dziecka poniżej dwóch lat.

Wyciszenie polega na wewnętrznym uspokojeniu emocji, dlatego przeprowadzanie tej techniki w miejscu pełnym zabawek lub w pokoju dziecka jest kiepskim rozwiązaniem. To taka pośrednia metoda między ignorowaniem złego zachowania a karnym dywanikiem, niezwiązana jednak z konkretnym miejscem.

Zawsze możesz więc użyć tej metody, będąc z dzieckiem poza domem, u znajomych, w sklepie czy w parku. Ważne jest, abyś zabrał je z miejsca, gdzie nastąpił wybuch złości, i pozwolił mu się uspokoić.

Aby wyciszenie zadziałało, powinieneś pamiętać o kilku podstawowych zasadach. Zawsze najpierw uprzedź dziecko, że jeśli nie przestanie zachowywać się w nieodpowiedni sposób, zastosujesz technikę wyciszenia. W żadnym wypadku nie rozmawiaj z dzieckiem podczas trwania okresu wyciszenia. Ten czas to na ogół tyle minut, ile lat ma dziecko. Unikaj kontaktu wzrokowego, ale pamiętaj, że przez cały czas musisz dziecko widzieć.

Jeśli mały histeryk się nie uspokoi i raz za razem samowolnie opuszcza wskazane przez Ciebie miejsce, zaprowadź je tam z powrotem. Rób to konsekwentnie tyle razy, ile będzie to potrzebne. W początkowym okresie stosowania tej metody dziecko prawie na pewno będzie próbowało się opierać.

Jeśli dziecko jest już w stanie histerii, wyciszanie z początku może nawet ją spotęgować. Gdy skończy się czas wyciszenia, porozmawiaj z dzieckiem. Skup się na tym, by doceniać i chwalić jego dobre postępowanie. Pamiętaj o stosowaniu tej techniki, gdy chcesz, aby Twoje dziecko czegoś nie robiło lub przestało zachowywać się niewłaściwie.

JAK NIE DZIAŁA, TO CO ROBIĆ?

ODPOWIEDŹ JEST JEDNA. UNIKAJ POPEŁNIANIA BŁĘDÓW. NA PRZYKŁAD TAKICH JAK OPISANE PONIŻEJ:

★ ZDARZA SIĘ, ŻE DZIECKO, BĘDĄC W MIEJSCU WYCISZENIA, RAZ PO RAZ O COŚ GŁOŚNO PYTA. NIE ODPOWIADAJ! JEŚLI TO ZROBISZ I WDASZ SIĘ W DYSKUSJĘ, DASZ MU SYGNAŁ, ŻE JEGO ZACHOWANIE NADAL WYWIERA NA CIEBIE WPŁYW. TO BŁĄD.

★ ABY UNIKNĄĆ PYTAŃ O CZAS, W POLU WIDZENIA DZIECKA POSTAW ZEGAR, TAK BY ZDAWAŁO SOBIE SPRAWĘ Z UPŁYWAJĄCEGO CZASU.

★ STOSUJĄC WYCISZENIE WOBEC STARSZEGO DZIECKA, NA OGÓŁ WYSYŁASZ JE DO „SWOJEGO POKOJU", A GDY ONO GŁOŚNO TRZASKA DRZWIAMI, KRZYCZYSZ: „NIGDY WIĘCEJ TEGO NIE RÓB!" LUB COŚ W TYM RODZAJU. ZNÓW POPEŁNIASZ BŁĄD. DZIECKO WCIĄŻ DOSTAJE OD CIEBIE POTWIERDZENIE, ŻE JEGO ZACHOWANIE WYWOŁUJE TWOJĄ REAKCJĘ. I KTO JEST GÓRĄ?

Celem wyciszenia jest nauczenie dziecka samokontroli. Jeśli wciąż mu się udaje przyciągnąć Twoją uwagę, cel ten nie jest osiągnięty. Dziecko nadal ma poczucie, że kontroluje sytuację, a nie o to przecież Ci chodzi. Tylko spokój, konsekwencja i nieokazywanie zainteresowania, gdy trwa wyciszenie, przyniesie właściwy i pełny efekt.

KARNE COKOLWIEK, CZYLI POSTRACH NASZYCH MILUSIŃSKICH

Karny „jeżyk" to prawie to samo, co wyciszenie. Różnica jest jednak znacznie mniejsza niż w reklamie pewnego piwa. Polega ona na tym, że karny „jeżyk" stanowi konkretne oznaczenie miejsca, którego używasz do uspokojenia emocji swojego dziecka. Karny „jeżyk" jest za karę głównie z powodu nazwy. Dziecko młodsze, nie rozumiejąc, co znaczy „karny", nie spostrzeże nawet tej różnicy.

KARNEGO „MIEJSCA" UŻYWAJ TYLKO WÓWCZAS, GDY DZIECKO ZROBI COŚ ZDECYDOWANIE ZŁEGO, NIE ZAŚ WTEDY, GDY JEST PO PROSTU „NIEGRZECZNE" LUB ZOSTAŁO WYPROWADZONE Z RÓWNOWAGI I MUSI SIĘ USPOKOIĆ.

Pamiętaj jednak, że karę (i wyciszenie także) zawsze powinno poprzedzać ostrzeżenie. Dziecko często nie rozumie, co zrobiło źle, i karę bez ostrzeżenia odbierze jako niesprawiedliwe potraktowanie. Z takiego odczucia nie wynika nic dobrego. Zawsze wytłumacz dziecku, co zrobiło źle i dlaczego tego nie akceptujesz. Poprzez konsekwentne, zawsze odpowiednie reakcje na złe zachowanie dziecka nauczysz swojego szkraba, że nie może i nie ma prawa wyrządzać krzywdy innym, zadawać im bólu, a także niczego im niszczyć ani zabierać.

Karny „jeżyk" nie jest lekiem na histerię.

COŚ, CZEGO NIGDY NIE ROBI SUPERTATA, CZYLI KARA FIZYCZNA (KLAPS)

Ciągle, niestety, wśród wielu rodziców rozpowszechnione jest przekonanie, że bicie dzieci jest dobrą metodą wychowawczą. Z całą stanowczością stwierdzam że tak nie jest. Bić dzieci NIE WOLNO.

Zamiast bić, koniecznie wytłumacz dziecku, czemu to, co zrobiło, jest złe. Bądź stanowczy, ale życzliwy. Spokojna rozmowa, wyrozumiałość, szacunek to najlepszy sposób dotarcia do Twojego dziecka. Warto, byś pokazał konsekwencje zachowania: bijesz inne dzieci – nie jesteś lubiany, kłamiesz – nie można ci ufać.

Nieprawdą jest też, że z dziećmi, szczególnie z chłopcami, należy postępować surowo, bo inaczej niczego się nie nauczą.

KARA CIELESNA NIE MA ŻADNEGO WYCHOWAWCZEGO ZNACZENIA - JEST BEZWARTOŚCIOWA. BIJĄC, POKAZUJESZ DZIECKU, ŻE POSTĄPIŁO ŹLE, LECZ W OGÓLE NIE DAJESZ MU SZANSY, BY ZROZUMIAŁO, DLACZEGO TO, CO ZROBIŁO, JEST ZŁE.

Jeśli dziecko nie rozumie, dlaczego nie wolno mu czegoś robić, może zrobić to ponownie. Nie obrażaj się i nie wypominaj wciąż dziecku nieposłuszeństwa czy złego zachowania. Daj mu szansę na poprawę. Rozmawiaj i dopilnuj, aby dziecko zrozumiało, dlaczego postąpiło niewłaściwie.

Wymierzaj karę tylko w ostateczności, jeśli Twoje wielokrotne upomnienia nic nie dają. Kara może być nieprzyjemna, ale nigdy nie może być bolesna. Jeśli dziec-

...ko nie chce układać zabawek – schowaj tę, którą lubi najbardziej, i oddaj dopiero wtedy, gdy zrobi to, o co prosiliśmy.

Ustalając karę dla swojego dziecka, nie daj się ponieść nerwom.

Stosowanie kar fizycznych jest oznaką Twojej bezradności. Jeśli zdarzyło Ci się uderzyć własne dziecko, uświadom sobie, że nie była to przemyślana decyzja, tylko spontaniczna reakcja wywołana TWOJĄ złością, frustracją albo stresem. A potem było Ci przykro i może żal, że nie udało Ci się tego załatwić w inny sposób. Pomyśl o tym, kiedy Twoje dziecko znów coś zbroi.

POWODY, DLA KTÓRYCH **NIE WOLNO BIĆ DZIECI**, I TO NIE WSZYSTKIE, ALE WYMIENIENIE WSZYSTKICH ZAJĘŁOBY WIĘKSZĄ CZĘŚĆ TEJ KSIĄŻKI:

★ NIE WOLNO BIĆ SŁABSZEGO.

★ BIJĄC DZIECKO, UCZYSZ JE, ŻE SAM DOPUSZCZASZ TĘ METODĘ.

★ AGRESJA RODZI AGRESJĘ.

★ ZABRANIA TEGO KONSTYTUCJA RP.

★ BICIE NIE DOCIERA DO SUMIENIA, TYLKO DO SKÓRY - JEST PRZEZ TO NIESKUTECZNE.

★ BICIE NA ZIMNO JEST NIELUDZKIE, A W GNIEWIE - NIEBEZPIECZNE, PONIEWAŻ OSOBA DOROSŁA NIE KONTROLUJE SIŁY SWEGO UDERZENIA.

★ BICIE UPOKARZA (OBIE STRONY).

★ BICIE JEST OZNAKĄ TWOJEJ BEZRADNOŚCI.

★ BICIE JEST AKTEM PRZEMOCY ZABRONIONEJ PRZEZ KONWENCJĘ PRAW DZIECKA.

★ PAMIĘTAJ: KLAPS TO TAKŻE BICIE.

zadania do wykonania

- [ ] PO NARODZINACH DZIECKA WEŹ PRZYNAJMNIEJ KILKA DNI URLOPU. SPĘDŹ GO, POMAGAJĄC PARTNERCE W PIERWSZYCH DNIACH PO POWROCIE ZE SZPITALA.

- [ ] JEŚLI DOTĄD NIE BRAŁEŚ UDZIAŁU W CZYNNOŚCIACH PIELĘGNACYJNYCH, TO ZMIEŃ TO OD DZIŚ. POD CZUJNYM OKIEM PARTNERKI NAUCZ SIĘ CZYNNOŚCI ZWIĄZANYCH Z TOALETĄ NIEMOWLĘCIA. REGULARNIE ZAMIENNIE Z PARTNERKĄ PRZEWIJAJ SWOJE DZIECKO.

- [ ] WYNEGOCJUJ, ŻE CODZIENNE KĄPANIE DZIECKA NALEŻY DO CIEBIE. USTAL, JEŚLI TO MOŻLIWE, ŻE SPACER PRZYNAJMNIEJ DWA RAZY W TYGODNIU STANOWI TWOJĄ DOMENĘ.

- [ ] BĄDŹ DUMNY Z FAKTU, ŻE JESTEŚ TATĄ I NIE WSTYDŹ SIĘ TEGO OKAZYWAĆ. W PRACY W WIDOCZNYM MIEJSCU UMIEŚĆ ZDJĘCIE SWOJEJ POCIECHY. ZAŁÓŻ INTERNETOWY PAMIĘTNIK SWOJEGO DZIECKA.

- [ ] WCIĄŻ UZUPEŁNIAJ SWOJĄ WIEDZĘ O PIELĘGNACJI NIEMOWLĄT I WYCHOWANIU DZIECI. REGULARNIE KORZYSTAJ Z POŚWIĘCONYCH TEMU PORTALI INTERNETOWYCH. ROZMAWIAJ Z PARTNERKĄ O TRUDNOŚCIACH I RADOŚCIACH DNIA CODZIENNEGO.

- [ ] WSPIERAJ PARTNERKĘ, POMAGAJ JEJ, PRZYTULAJ JĄ I PROŚ, ABY CODZIENNIE, GDY WRACASZ DO DOMU, OPOWIEDZIAŁA CI ZE SZCZEGÓŁAMI, CO ONA I DZIECKO ROBILI PODCZAS TWOJEJ NIEOBECNOŚCI.

★ ORGANIZACJA ŻYCIA
★ DAJ KOBIECIE ODPOCZĄĆ
★ SAM ZADBAJ O SWÓJ RELAKS
★ NIE ZAPOMINAJ O SWOICH PASJACH...
... I PRZYJACIOŁACH

Rozdział 5

MÓJ JEST
ten kawałek podłogi...

MASZ DZIECKO.
PEWNIE, ŻE SIĘ CIESZYSZ JAK KAŻDY TATA
I JESTEŚ PEŁEN DUMY Z MALUTKIEGO,
A PRZECIEŻ NAJWIĘKSZEGO CUDU ŚWIA-
TA. W DODATKU TEN CUD WYCIĄGA DO CIEBIE
RĄCZKI I UŚMIECHA SIĘ BEZZĘBNĄ BUZIĄ.
MASZ NOWY CEL W ŻYCIU. MOIM ZDANIEM
CEL ♡NAJWAŻNIEJSZY♡.

Będziesz wychowywał nowego mieszkańca naszego świata. Jest tak wiele rzeczy, których nie wiesz. Zupełnie nieznanych sytuacji, czekających w tej bliskiej i dalszej przyszłości. Jednego możesz być pewien: Twoje życie uległo trwałej zmianie. W gąszczu nowych spraw i uczuć czasem można się pogubić. Zatracić gdzieś sens roli, która przypadła Ci w udziale. Zamiast mentorem, nauczycielem czy przyjacielem możesz stać się rzemieślnikiem. Dostawcą. Napędem wózka podczas spaceru.

Bardzo łatwo jest w ferworze starania się o dobro dziecka i niewchodzenia w drogę zabieganej partnerce zapomnieć, że bierzecie udział we wspaniałej wspólnej przygodzie. Owszem, tak jak podczas wypraw w nieodkryte krainy bywa ciężko i czasem wydaje się, że nie dasz rady. Właśnie wówczas potrzebujesz nieco oddechu. Powrotu do spraw, które pasjonowały Cię, zanim zostałeś tatą.

Zarówno Ty, jak i Twoja partnerka macie swoje pasje i przyjemności, na które wcześniej przeznaczaliście wolny czas. Nie warto o nich zapomnieć. Poświęcenie i zaciśnięcie zębów dziś może w przyszłości zaowocować żalem do partnerki. Za dawnym życiem, pasjami. To dotyczy zarówno Ciebie, jak i jej. Dlatego tak ważne jest, abyście jak najwcześniej umówili się i szczerze porozmawiali o tym, jak chcecie podzielić między siebie obowiązki i przyjemności, które dziecko przyniosło do Waszego domu. Każde z Was powinno mieć i potrzebuje własnej przestrzeni życiowej. Trochę prywatności. Może to być stała godzina w sobotnie popołudnie, kiedy zakładasz słuchawki i przenosisz się w świat ostrego ro-

cka. Lub wieczór spędzony w garażu pod 40-letnim „garbusem". To może być jej babski wieczór czy kosmetyczka i fryzjer raz na jakiś czas.

ORGANIZACJA ŻYCIA

Nikt tego za Ciebie nie zrobi i jeśli nie porozmawiasz, nic nie uzyskasz. Ustalcie, jak będzie wyglądało Wasze codzienne wspólne nowe życie. Jeśli tego nie zrobicie i „pójdziecie na żywioł", istnieje duże prawdopodobieństwo, że żadne z Was nie będzie z tego zadowolone.

Jeśli nic sobie nie wyjaśnicie i nic nie zaplanujecie, uznając, że „jakoś to będzie" i „wszystko z czasem się ułoży" – to jesteście w błędzie. Nie będzie i nie ułoży się.

Zaczyna się od okazjonalnego wypominania sobie rzeczy, z których ona musiała zrezygnować, a Ty nigdy nie dokończyłeś. Siłą rzeczy i zupełnie nieświadomie zdarza się, iż wini się za to dziecko, które swym pojawieniem się na świecie zabrało Wam tyle z dawnego życia. Nie musi tak być. Znów kluczowa okazuje się komunikacja.

Nie możesz zakładać, że Twoja kobieta domyśli się w cudowny sposób, jak trudno jest Ci się rozstać z porankami na rybach czy też z wieczorami przy bilardowym stole. Po prostu jej to powiedz i postarajcie się razem znaleźć rozwiązanie.

Oczywiście, nie możesz zapominać, że nie tylko Ty masz pasje i przyzwyczajenia. Ona też ma prawo być zmęczona, czasem przestraszona i zagubiona. Ona też miała inne życie „przed".

DAJ KOBIECIE ODPOCZĄĆ

No tak, teraz czas na załatwienie czegoś dla niej. Pomyśl i zastanów się przez chwilę. Przyjmujesz i powtarzasz to jak mantrę, że ona lepiej sobie poradzi z wychowaniem i zajmowaniem się dzieckiem, bo „jest do tego stworzona". OK. Może i tak, ale to nie jest jakiś cyborg, tylko żywa istota, a w dodatku Ty ją kochasz na zabój, prawda? No! Skoro już to ustaliliśmy, że współuczestniczysz AKTYWNIE w wychowaniu dziecka i że Twoja partnerka nie jest robotem – to wiedz, że i jej należy się czas na regenerację sił. Tylko mi tu nie wyjeżdżaj zaraz ze stwierdzeniami w rodzaju: „No przecież ona nie chodzi do pracy, to ma cały dzień, żeby odpocząć. Cały dzień »siedzi« z dzieckiem". Konia z rzędem temu, kto zna choć jedną kobietę, która będąc w domu z dzieckiem – siedzi.

A IDĄC DALEJ TYM TROPEM. TO Z PEWNOŚCIĄ JAKIŚ FACET WYMYŚLIŁ NAZWĘ „URLOP MACIERZYŃSKI". GDZIE TU JEST URLOP DO JASNEJ CHOLERY?! CAŁY DZIEŃ I NOC ZASUWA CZŁOWIEK JAK MAŁY KULOMIOT, A KOŃCA ROBOTY NIE WIDAĆ. TO MA BYĆ URLOP? TERAZ JUŻ WIESZ, ŻE:

★ TWOJA KOBIETA TO NIE ROBOT I POTRZEBUJE ODPOCZYNKU.

★ TO, ŻE JEST NA URLOPIE MACIERZYŃSKIM CZY WYCHOWAWCZYM, WCALE NIE ZNACZY, ŻE ODPOCZYWA, A RACZEJ WRĘCZ PRZECIWNIE.

Teraz wyjaśnię Ci, dlaczego to właśnie Tobie najbardziej powinno zależeć na tym, aby matka Twojego dziecka miała czas na relaks. W dodatku w Twoim interesie leży, abyś to Ty był osobą, która w tym czasie zajmuje się dzieckiem.

Pierwszy powód jest oczywisty: kochasz swoją partnerkę. Zrozumiałe więc, że starasz się ulżyć jej w trudach macierzyństwa. Szczególnie w pierwszych dniach i tygodniach po porodzie niełatwo jej sprostać wszystkim obowiązkom. Utwierdź ją w przekonaniu i pokaż, że może liczyć na Twoją pomoc. Nie zostawiaj swojej kobiety osamotnionej, często zagubionej i pełnej pytań, na które jeszcze nie umie znaleźć odpowiedzi.

Drugi wynika z pierwszego. Skoro ona nie będzie potrafiła samotnie sprostać wszystkiemu, co wiąże się z codzienną opieką nad niemowlęciem, to nie mając wsparcia od Ciebie, zwróci się do... mamy, siostry, babci, przyjaciółek. One chętnie Cię zastąpią. Raz, drugi i setny. Na własne życzenie znajdziesz się poza tym kobiecym kręgiem.

Nie daj się zwieść pozornym i bardzo dorywczym korzyściom, które przynosi wszechstronna pomoc żeńskiej armii zbawienia. Jeśli nie opamiętasz się w porę, możesz osłabić, a w ostateczności nawet stracić emocjonalną więź z dzieckiem. Nie jest łatwo później ją odbudować. Warto ustalić od razu, które elementy stają się Twoją domeną. Może to być kąpiel, spacery w weekendy, wieczorne czytanie, wstawanie do dziecka co drugą noc itp.

Często świeżo upieczonym tatusiom wydaje się, że są zapomniani i schodzą na dalszy plan. To prawda, ale w dużej mierze zależy to od nich samych. Jeśli odciążysz partnerkę i aktywnie wejdziesz od pierwszych dni w rolę ojca, możesz być pewien, że zdecydowanie urośniesz w jej oczach.

No i jest jeszcze trzeci powód. Twoja partnerka, gdy widzisz ją codziennie zmęczoną w tych samych wypchanych dresach i z jesienią średniowiecza na głowie, pomimo Twoich najszczerszych i najgorętszych uczuć, z wolna traci na atrakcyjności. Co gorsza, z czasem możesz zacząć dawać jej to odczuć i czynić zarzuty. Usłyszy wtedy od Ciebie: „Zrób coś ze sobą. Jak ty wyglądasz?". Zacznie Cię wreszcie nieco drażnić, bo przecież, co ona może wiedzieć o życiu, gdy tak bezmyślnie „siedzi w domu".

Tak więc musisz ją odciążyć również dlatego, żeby miała czas, ochotę i siły o siebie zadbać. Iść do fryzjera czy choćby wyleżeć się pół godziny w wannie przy świecach i kadzidełku. Pamiętaj, że Tobie też coś wtedy „skapnie"...

Życie rodzinne to nie tylko pasmo szczęśliwych uniesień i roześmiane twarze na wiosennym spacerze. Bycie tatą, a w szczególności supertatą, nie zwalnia od myślenia. Myśl więc i staraj się dostrzegać skutki Waszych wspólnych i Twoich własnych decyzji. Czasem warto zrezygnować z czegoś teraz, aby móc po wielu latach w tym samym lub powiększonym jeszcze rodzinnym gronie usiąść nad pełnymi zdjęć albumami.

SAM ZADBAJ O SWÓJ RELAKS

Skoro poradziłeś sobie z organizacją domowego życia po przybyciu nowego członka rodziny, nie myśl sobie, że to już koniec zmian. Teraz, drogi kandydacie na supertatę, czas na zręczne wykrojenie – z jako tako uładzonego domowego świata – czasu na Twój relaks. Tak jest. Czas dla Ciebie jest równie ważny jak wszystko inne w domu.

To nieprawda, że aby dziecko rozwijało się prawidłowo i szczęśliwie, oboje, to znaczy supermama i Ty, musicie padać na twarz i od świtu do zmierzchu bezustannie prowadzić działania na froncie walki o beztroskie dzieciństwo oraz świetlaną przyszłość Waszego potomstwa. Właściwie to będzie najlepiej, jeśli żadne z Was na nos padać nie będzie. Wtedy dopiero w pełni możecie czerpać przyjemność z kontaktu z dzieckiem.

Słowa „komunikacja" i „konsekwencja" wydają się po raz kolejny odgrywać

TAK WIĘC MUSISZ JĄ ODCIĄŻYĆ RÓWNIEŻ DLATEGO, ŻEBY MIAŁA CZAS, OCHOTĘ I SIŁY O SIEBIE ZADBAĆ. IŚĆ DO FRYZJERA CZY CHOĆBY WYLEŻEĆ SIĘ PÓŁ GODZINY W WANNIE PRZY ŚWIECACH I KADZIDEŁKU. PAMIĘTAJ, ŻE TOBIE TEŻ COŚ WTEDY „SKAPNIE"...

także i tu kluczową rolę. Jeśli ustalisz ze swoją kobietą, że na przykład w czwartki od godziny 18 do 22 masz czas dla siebie, to staraj się tego przestrzegać. Nawet gdy nie masz pomysłu na robienie czegoś konkretnego, spróbuj sobie coś wymyślić. Może to być czysty relaks muzyczny ze słuchawkami na uszach czy też wyprawa do pubu z kolegami. Ważne jest przede wszystkim, żebyś miał poczucie, że jest to Twój czas i możesz z nim zrobić wszystko, co sprawi Ci przyjemność i „naładuje" Twoje akumulatory. Oczywiście, czasem może się zdarzyć coś nadzwyczajnego, co zaburzy ustaloną regułę. To jednak musi być naprawdę coś ważnego i coś istotnie wyjątkowego. Podobnie z czasem, który ustalicie wspólnie dla Twojej partnerki. Przecież nie wyobrażałeś sobie chyba, że tylko Ty masz prawo do relaksu?

NIE ZAPOMINAJ O SWOICH PASJACH...

Życie człowieka, gdy pozbawione jest pasji i możliwości ich realizacji, staje się bardzo ubogie i monotonne. Taka egzystencja, która polega jedynie na dostarczeniu środków na utrzymanie rodziny, wykonywaniu powierzonych obowiązków wobec tejże i krótkotrwałym oraz sporadycznym relaksowaniu się nie jest tym, co tygrysy lubią najbardziej.

Skoro jesteś tatą i aspirujesz do miana superojca, to nie może w Twoim życiu zabraknąć miejsca na hobby, pasję czy też świra na jakimś punkcie. Ludzie pozytywnie zakręceni są, ogólnie rzecz ujmując, zdrowsi psychicznie, a przez to, że wyróżnia ich od reszty zamiłowanie do ulubionego zajęcia, stają się atrakcyjni dla otoczenia. Twoim otoczeniem jest między innymi nowo narodzone dziecko.

Rozwijając i kultywując swoją pasję, masz szansę któregoś dnia zaprezentować wiekopomne dokonania na polu zbierania aluminiowych kubków używanych przez wojska piechoty w okresie II wojny światowej czy też zademonstrować pieczołowicie odrestaurowany galeon hiszpański w całości wykonany z 72 528 wykałaczek uprzednio zebranych z lokali gastronomicznych Małopolski oraz Pomorza Zachodniego.

Drogi (prawie) supertato, pamiętaj jednak, że Twoja córka lub syn nie musi podzielać zamiłowania do wykałaczkowych modeli czy aluminiowych kubków. Twoje dziecko, aczkolwiek pod wieloma względami do Ciebie podobne, nie jest jedynie miniaturką swego ojca.

...PRZYJACIOŁACH

No właśnie. Jak to jest, że Twoja kobieta ma stare i sprawdzone „kumpele", na których zawsze (no może prawie zawsze) może polegać? To nic, że co jakiś czas się kłócą, rzucają słuchawkami, bo jedna drugiej coś tam o trzeciej nagadała. To nieważne. Dzwonią do siebie, pamiętają o swoich urodzinach. A Twoi przyjaciele?

Jeśli ich masz, to powinieneś pamiętać, że chociaż w Twoim życiu pojawiło się dziecko, oni nadal o Tobie myślą. Czasem, gdy się spotykają, pewnie pytają się nawzajem: „A nie wiecie, co słychać u ...?", „Nie odzywał się?".

Z upływem miesięcy i lat pytania są coraz rzadsze, aż wreszcie wpadacie na siebie przypadkiem w sklepie. Cieszycie się bardzo i Ty obiecujesz, że zadzwonisz albo odwiedzisz... Zrób ten wysiłek i nie zapomnij o obietnicy. Przyjaciele to cząstka Twojej przeszłości. Kiedyś to właśnie dzięki nim przypomnisz sobie, jak nazywała się nauczycielka, u której na lekcji można było spokojnie przeczytać „Przegląd Sportowy". To oni w końcu znają Cię jak własną kieszeń i zawsze wysłuchają opowieści o Twoich wspaniałych dzieciach.

...ORAZ O STARSZYM RODZEŃSTWIE

Jedną z moich ulubionych anegdot ilustrujących sytuację starszego dziecka, gdy w domu pojawia się nowiutki bobasek, jest pewna historyjka, którą dla potrzeb tej szczególnej książki zmodyfikowałam.

Wyobraź sobie, że pewnego dnia Twoja kobieta przyprowadza do domu przepięknego młodego mężczyznę, z radością oznajmiając, że to jej nowy mąż i teraz zamieszkacie we troje. Widząc Twoje przerażenie, natychmiast dodaje: „Ależ kochanie, nie matrw się, będę was obu kochała tak samo!".

Prawda, że daje do myślenia? Jeśli więc nadal uważasz, że Twoje dziecko także uwierzy Ci na słowo, to gratuluję naiwności. Dotychczas cały swój czas i uwagę poświęcałeś jedynakowi/jedynaczce. Gdy od momentu narodzin „rywala" wszystko się toczy jednak wokół niego, starsze dziecko ma prawo być zazdrosne. To normalne uczucie i często się pojawia. Jak temu zapobiec? Zrób coś specjalnie dla niego.

Zorganizuj imprezę dla „starszaka" z okazji zostania starszym rodzeństwem, Jeśli tego nie zrobiłeś do tej pory, to zrób to teraz. Twoje starsze musi poczuć, że zyskało, a nie straciło w chwili pojawienia się w domu bobasa. Inaczej możesz mieć w domu zamiast dotąd spokojnego dziecka, zbuntowanego, rozhisteryzowanego czy agresywnego konkurenta.

Aby okazać swoje niezadowolenie z pojawienia się nowego domownika, Twoje starsze dziecko może nagle stać się złośliwe i próbować wyrządzić krzywdę maluchowi. Musisz wówczas interweniować. Spróbuj skłonić swoje „dorosłe" i „dojrzałe" już dziecko, aby opowiedziało Ci, co czuje w związku z pojawieniem się rodzeństwa. Dowiesz się wtedy, jak bardzo nieszczęśliwy i zapomniany bywa ten zdetronizowany królewicz/królewna.

Nie możesz do tego dopuścić. Musisz codziennie znaleźć czas na zabawę i rozmowę tylko z nim.

Wytłumacz dziecku, jak duże są jego umiejętności w porównaniu z nowym maleństwem. Poczuje się wówczas ważne i docenione, co pomoże Ci uzyskać od niego wsparcie i pomoc.

To jest Twój czas. Mama jest zajęta i, niestety, naturalną koleją rzeczy koncentruje się na nowym dziecku. Masz więc swoje kolejne pięć minut. Powalcz, zaprzyjaźnij się ze swoim starszakiem.

Namawiam Cię również – w ramach obowiązku odciążania kobiety przy nowym dziecku – aby dać i jej szansę pobawienia się czy po prostu pobycia ze starszym dzieckiem.

Jeśli różnica wieku między dziećmi jest niewielka, to starsze dziecko, tak naprawdę samo jeszcze malutkie, wycofuje się i usuwa w cień, nie bardzo zdając sobie sprawę ze znaczenia zachodzących zmian. Zadbaj, by tak się nie stało. Kiedy w domu jest noworodek lub niemowlę, to na ogół pojawiają się zachowania regresywne, czyli takie, w których Twoje „duże" dziecko zaczyna się zachowywać jak niemowlę. Sięga po butelkę, dawno odstawiony smoczek, domaga się pieluchy czy wręcz powrotu do Waszego łóżka. Co możesz zrobić, aby nie dopuścić do takich sytuacji?

Przede wszystkim pamiętaj, że dzieci – tak jak i my sami – nie lubią być zaskakiwane. Zrób więc wszystko, aby przygotować je na przyjęcie nowego domownika. Dziecko ma prawo wiedzieć, co się dzieje. Pokaż mu odpowiednio wcześniej widoczne oznaki ciąży. Spróbuj włączyć je w przygotowania do przyjścia na świat siostry czy brata.

Forma tego uczestnictwa będzie różna w zależności od wieku, może to być na przykład pomoc w wyborze zabawek, kojca, a nawet imienia. Nie ukrywaj przed dzieckiem, że narodziny nowego członka rodziny przyniosą znaczące zmiany w życiu Was wszystkich. Przygotuj je również odpowiednio wcześnie na „zniknięcie" mamy na czas porodu. Powiedz starszemu dziecku, że niemowlę będzie się wielu rzeczy uczyło od niego. Wytłumacz, jak ważną rolę odegra w życiu malca. Rola „szefa" z pewnością przypadnie mu do gustu.

Starsze rodzeństwo, jeśli wdrożysz je w to od początku, chętnie pomoże Ci przy młodszym. Staraj się, aby czuło, że ma wpływ na podejmowane decyzje, na przykład, gdzie pójdziecie na spacer czy jaką mu poczytacie książeczkę.

I jeszcze jedno. Nie faworyzuj młodszego dziecka, mówiąc na przykład do starszego: „On jest jeszcze taki malutki, daj mu tę zabaweczkę...". W ten sposób z pewnością nie zintegrujesz rodzeństwa, a raczej pogłębisz antagonizmy i rywalizację.

Pamiętaj też, że od dnia, w którym zostałeś podwójnym tatą, musisz nauczyć na nowo dzielić swój czas. Takie życie. Nie jest łatwo. Ale na to nikt się przecież nie umawiał.

Rola ojca w wielu rodzinach bywa często niedoceniana, wręcz bagatelizowana. Na szczęście ostatnio coraz więcej jest publikacji przedstawiających wagę męskiego pierwiastka w rodzinie w sposób zgoła odmienny. Śmiem twierdzić, że aktywna obecność mężczyzny w domu rodzinnym jest niezwykle potrzebna. Stanowi bowiem niezbędny element umożliwiający pełny i harmonijny rozwój dziecka.

W przypadku rozbicia rodziny sąd najczęściej przyznaje prawo do pełnej opie-

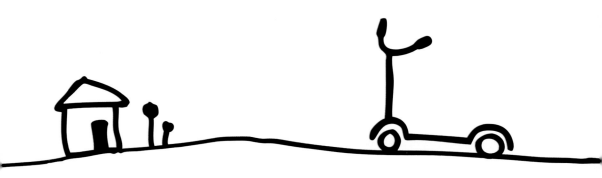

ki nad dzieckiem matce. Natomiast ojciec pozostaje z boku i może jedynie czasami odwiedzać swojego potomka. Pomijam patologiczne przykłady wymazywania dzieci ze swego dalszego życia przez opuszczających partnerki „tatusiów". Sytuacja, w której następuje nagłe odizolowanie ojca, jest ogromną krzywdą wyrządzoną dziecku, tym bardziej że matka może utrudniać lub uniemożliwiać te kontakty. Jest to swoista bomba z opóźnionym zapłonem. Po pewnym czasie więź między tatą a dzieckiem zanika. Pozostają tylko głębokie wewnętrzne „zranienia", mogące w skrajnych przypad-

kach skutkować niezdolnością dziecka do utrzymania więzi rodzinnej w swym dorosłym życiu.

Są na szczęście ojcowie, którzy nie godzą się na taki bieg spraw. Kochają swoje dzieci i są na tyle zdeterminowani, by uczestniczyć w ich wychowaniu, że znoszą niechętne komentarze byłych partnerek. Są niestety i tacy, którzy mimo iż teoretycznie żyją w pełnej rodzinie, „przegrywają" swoje ojcostwo, przedkładając nad nie inne, w ich mniemaniu istotniejsze sprawy.

Być może u schyłku życia uznają to za swoją największą porażkę.

Zadania do wykonania

- ☐ USTAL Z PARTNERKĄ W RAMACH PRAC NAD WASZYM PLANEM ZAJĘĆ JEJ CZAS W CIĄGU DNIA.

- ☐ POPROŚ JĄ O SZKOLENIE W CZYNNOŚCIACH PRZY DZIECKU, Z KTÓRYMI MASZ PROBLEMY. GDY ONA MA SWÓJ CZAS, TO TY - A NIE NIANIA (NAWET NAJLEPSZA) - ZAJMUJESZ SIĘ DZIECKIEM.

- ☐ RAZ W TYGODNIU ZARÓWNO TY, JAK I PARTNERKA, POWINNIŚCIE MIEĆ DŁUŻSZY CZAS NA SWOJE HOBBY/PRZYJEMNOŚCI. NIE ZAPOMINAJ O WSPÓLNYM CZASIE (SAM NA SAM).

- ☐ ZORGANIZUJ DLA SWOJEGO STARSZAKA WIELKI BAL Z OKAZJI OSIĄGNIĘCIA STATUSU STARSZEGO DZIECKA. POMYŚL NAD SPECJALNYMI PRZYWILEJAMI DLA NIEGO.

- ☐ ZADZWOŃ RAZ W TYGODNIU PRZYNAJMNIEJ DO JEDNEGO ZE SWOICH PRZYJACIÓŁ/ZNAJOMYCH. MOŻE ONI WŁAŚNIE TEŻ ZOSTALI TATUSIAMI I TY, SPECJALISTA, MOŻESZ IM UDZIELIĆ JAKIEJŚ ŚWIATŁEJ RADY.

Rozdział 6

Spokojnie, to tylko AWARIA...

★ W DOMU
★ W PIASKOWNICY
★ U ZNAJOMYCH
  W SAMOCHODZIE
★ W RESTAURACJI
★ W CENTRUM HANDLOWYM

KIEDY JAKO ★WZOROWY OJCIEC★ CZĘSTO ZAJMUJESZ SIĘ SWOIM DZIECKIEM, MOŻESZ BYĆ PEWIEN, ŻE ZDARZY SIĘ NIEPRZEWIDZIANA PRZYGODA lub TWOJE DZIECKO OBJAWI NAGLE ŚWIATU ZDOLNOŚĆ, O JAKĄ GO NIGDY, PRZENIGDY NIE PODEJRZEWAŁEŚ. TAKA SYTUACJA KIEDYŚ MOŻE ZASKOCZYŁABY CIĘ, ALE TERAZ JUŻ PRZECZYTAŁEŚ COŚ NIECOŚ I WIESZ, ŻE POZOSTAJĄC SAM NA SAM Z MALEŃSTWEM, POWINIENEŚ SPODZIEWAĆ SIĘ TYLKO JEDNEGO... WSZYSTKIEGO!

W każdym miejscu i o każdej porze dnia i nocy. Musisz być na to gotowy, stale czujny, jak myśliwy na polowaniu. Nie możesz stracić zimnej krwi. Z dwóch powodów. Ciągle jeszcze chcesz być „macho" dla swojej wybranki. I ciągle walczysz o miano superbohatera w oczach swojego dziecka.

Aby zminimalizować ewentualne straty i przygotować Cię do działania, proponuję lekturę tego przewodnika czy w zasadzie niezbędnika.

W DOMU

W domu niebywale ważny jest porządek dnia. Taki plan, który daje dziecku, ale i Tobie poczucie bezpieczeństwa. Chodzi mi nie tylko o spanie, jedzenie, wychodzenie i wracanie. Na ten dzień składają się też przyjemności, wypoczynek oraz czas, którego oboje potrzebujecie. Nie zapominaj o tym.

To w domu uczysz swoje dziecko tego wszystkiego, co Twoim zdaniem powinno umieć. Zarazem pamiętaj jednak, że dom to nie koszary. Jest kilka dobrych strategii wychowawczych:

★ UNIKANIE

Polega na przewidywaniu konfliktowych sytuacji i po prostu omijaniu ich szerokim łukiem. Jeżeli jakaś zabawa często prowadzi do płaczu i krzyku, unikaj jej. Nie pozwól, by stała się kością niezgody. Pamiętaj, by wartościowe lub niebezpieczne przedmioty usunąć z pola widzenia lub spoza zasięgu ręki dziecka.

★ IGNOROWANIE

Niezbędne, gdy dziecko, próbując coś wymusić, wpada w histerię lub obraża się. Gdy Twój domowy tyran ma napad złości, po prostu przeczekaj to, bez żadnej reakcji. Maska pokerzysty i w ogóle go nie zauważaj. Naucz swoje dziecko, że złość nie jest dobrym sposobem na zwrócenie na siebie uwagi. Staraj się być w takiej sytuacji bardzo spokojny. To najlepszy sposób na nauczenie dziecka kontroli własnych emocji.

★ USTALENIE ZASAD

Ze starszym dzieckiem obgadaj obowiązujące zasady, to znaczy ustal, co w domu wolno, a czego nie. Wytłumacz, że z mamą jest inaczej, a z Tobą bywa inaczej. Zawrzyjcie taką umowę. To zawsze pomaga.

★ NA „CHOMIKA"

Nim zostaniesz sam w domu, dowiedz się na sto procent, gdzie co jest. Czy na pewno waciki do przemywania pupy są w kuchni, w słoiku po herbacie podpisanym jako sól. Dobrze jest mieć w „zasięgu wiedzy" większość potrzebnych rzeczy.

OTO MOJA PROPOZYCJA NA DZIECIĘCY „NIEZBĘDNIK". OCZYWIŚCIE JEGO ZAWARTOŚĆ JEST SPRAWĄ INDYWIDUALNĄ, ALE TO, CO PODAŁAM, NA PEWNO SIĘ PRZYDA. W DALSZĄ PODRÓŻ TRZEBA ILOŚĆ RZECZY PODWOIĆ, POTROIĆ... LUB PO PROSTU ZWIELOKROTNIĆ.

WERSJA A (DLA MALUCHA)

★ KILKA PIELUCH JEDNORAZOWYCH

★ ŚLINIAK

★ BUTELKA DO PICIA (Z ZAMKNIĘCIEM)

★ OPAKOWANIE BISZKOPTÓW LUB HERBATNIKÓW

★ SŁOICZEK Z ULUBIONYMI OWOCAMI I ŁYŻECZKA

★ SMOCZEK (NAJLEPIEJ WRAZ Z ŁAŃCUSZKIEM DO MOCOWANIA)

★ ULUBIONA ZABAWKA MIĘKKA (LUB KILKA ULUBIONYCH)

★ ZABAWKA GRAJĄCA (NP. POZYTYWKA)

★ ULUBIONA KSIĄŻECZKA

★ OPAKOWANIE MOKRYCH CHUSTECZEK

★ OPAKOWANIE CHUSTECZEK HIGIENICZNYCH

★ KOMPLET UBRANEK NA ZMIANĘ (ZWŁASZCZA JEŚLI PLANUJECIE JEŚĆ, DRUGA BLUZECZKA)

WERSJA B (DLA PRZEDSZKOLAKA)

★ ZABAWKI (DUŻO I RÓŻNE)

★ KSIĄŻECZKA LUB KOLOROWE CZASOPISMO

★ BUTELKA ZAKRĘCANA Z PICIEM

★ BATONIK LUB KILKANAŚCIE CUKIERKÓW

★ LIZAK (NA NAGRODĘ LUB TAK, DLA SMAKU)

★ ULUBIONY OWOC

★ CHUSTECZKI HIGIENICZNE

★ PLASTRY JEDNORAZOWE

W obu wersjach niezbędnika konieczny jest telefon komórkowy z Twoją kobietą po drugiej stronie.

W PIASKOWNICY

Jeśli Twoje dziecko zachowuje się niegrzecznie w miejscu publicznym, to przede wszystkim wybij sobie z głowy, że chce Cię ono ośmieszyć lub wprawić w zakłopotanie. Zastanów się, czy może jest jakiś element lub bodziec wywołujący takie zachowanie. Pamiętaj, że najczęściej złe zachowanie spowodowane jest poczuciem utraty kontroli nad sytuacją. Jeśli dziecko nie radzi sobie z nową sytuacją, to po prostu zaczyna „szaleć".

Często przyczyną „wybuchu" jest nadmiar bodźców zewnętrznych, ze szczególnym uwzględnieniem tych atrakcyjnych – całkiem nowe otoczenie i, oczywiście, samo zamieszanie związane z wyjściem z domu.

Inną, równie prozaiczną przyczyną złego zachowania może być po prostu chęć zwrócenia na siebie uwagi. Dziecko zdaje sobie sprawę, że łatwiej mu wywrzeć na Tobie presję i osiągnąć cel, gdy zrobi „przedstawienie" w miejscu publicznym.

Jeśli Twoje dziecko zawsze wpada w konflikt w piaskownicy z „jednym takim w czerwonym sweterku", to zmień piaskownicę albo godziny spaceru. Z doświadczenia wiem, że może się zdarzyć, że w końcu wszystkie piaskownice w okolicy będą dla Was „spalone". Nie proponuję, by wtedy zacząć chodzić na spacery o 4 nad ranem. Raczej trzeba wspólnie z partnerką poszukać przyczyny takiego stanu rzeczy. Obserwuj bacznie przedpole i sprawdź, w jaki sposób sytuacja zaostrza się na tyle, że w końcu dochodzi do pojedynku na łopatki czy kubełki. Może to właśnie Twoje dziecko jest dla wszystkich innych dzieci „jednym takim...".

Zapamiętaj kilka niezbędnych zasad dotyczących piaskownicy. Nigdy, przenigdy nie pozwól swojemu dziecku jeść piasku. I nie tylko dlatego, że bardzo często różne mniej lub bardziej domowe zwierzęta urządzają sobie tam nocą luksusową toaletę. Jest też drugi powód, jeśli pozwolisz na takie zachowanie (to znaczy nie zauważysz lub zignorujesz), to będziesz zmuszony przez inne „piaskownicowe" mamy do zmiany miejsca spacerowego, bo zostaniesz „wyklęty".

Gdy Twoje dziecko zaczyna się w piaskownicy zachowywać agresywnie, musisz pokazać mu, że tego nie akceptujesz. W takich sytuacjach najlepiej sprawdza się natychmiastowe przerwanie zabawy. Nie musisz zabierać malca do domu. Wystarczy, że odejdziecie na bok, gdzie spokojnie i konkretnie przeprowadzisz lekcję wychowawczą. Po czym dasz dziecku drugą szansę.

CO ROBIĆ, GDY DZIECKO URZĄDZI HISTERIĘ POZA DOMEM?

Większość dzieci na świecie stosuje napady złości jako sposób na oznajmienie, że to właśnie one nim rządzą. Czasem jest to sposób na poradzenie sobie z gniewem czy lękiem. Oczywiście są też i inne powody złości, ale te wymienione wcześniej są najczęstsze.

Miejsc poza domem, dokąd możesz pójść z dzieckiem, jest bardzo dużo. Tak samo wiele może być powodów, dla których Twoje dziecko źle się zachowuje.

Najlepszą, aczkolwiek trudną, metodą walki z histerią w miejscach publicznych jest zignorowanie jej, oczywiście pod warunkiem, że dziecku ani nikomu innemu nie grozi niebezpieczeństwo.

Niestety, musisz uzbroić się w cierpliwość i pod żadnym pozorem nie ustępować. Jeśli ustąpisz, to z całą pewnością szybciej rozwiążesz problem (z punktu widzenia dziecka), ale przysporzy Ci to poważniejszych kłopotów na przyszłość. Trudno, nie zwracaj uwagi na gapiów i innych rodziców, pozostań niewzruszony.

Przedkładaj długofalowe dobro swojego dziecka nad doraźną troskę o to, co ludzie powiedzą.

Jeśli wybierasz się z potomkiem na spacer, do rodziny czy na zakupy, postaraj się zadbać o wszystkie niezbędne do wyjścia akcesoria. Zapakuj plecak, jakbyś jechał na tygodniową szkołę przetrwania. Niech to będzie taki wyjściowy „niezbędnik".

Jeśli wybierasz się z wizytą, ustal dokładną marszrutę, określ czas powrotu i znowu przypomnij o zasadach. Dziecko lubi czuć się częścią rodziny i łatwiej

mu uznać reguły, jeśli będzie wiedziało, że obowiązują one bez wyjątku każdego członka rodziny. Jeśli wybieracie się w dalszą podróż samochodem, pociągiem czy samolotem, przygotuj dziecko do tego najlepiej, jak potrafisz. Zabierz „zestaw podróżnika". Postaraj się, aby był on różnorodny i zawierał zarówno ukochane zabawki, jak i coś nowego.

Nigdy nie zabieraj dziecka do sklepu, kusząc go obietnicą kupienia zabawki czy słodyczy, chyba że rzeczywiście masz taki zamiar.

★ U ZNAJOMYCH

No cóż. Rada jest właściwie jedna: zabieraj dziecko do przyjaciół tylko wtedy, gdy wiesz, że na imprezie będą inne dzieci w tym samym lub zbliżonym wieku. Oczywiście zrozumiałe jest, że wcześniej to z nimi uzgadniasz (czytaj: czekasz, aż zaproponują, abyś wziął ze sobą malucha).

Teraz, drogi tato, bez ściemniania.

Zawsze przed wyjściem ustal z nim, gdzie i po co idziecie, co będziecie tam robić, gdy już dojdziecie. Możesz przy okazji powiedzieć, czym na pewno nie będziecie się zajmować. Upewnij się, że zostałeś zrozumiany i że się dogadaliście. Dziecko łatwiej zaakceptuje reguły obowiązujące podczas wyjść, gdy poprzedzi je taka rozmowa.

Jeśli wiesz, że Twoja pociecha bywa „trudna", to staraj się preferować rodziny dysponujące ogródkiem lub parkiem w niedalekim sąsiedztwie. No i oczywiście nie planuj całonocnej balangi, tylko co najwyżej miłe popołudnie. Musisz mieć ze sobą kilka obowiązkowych rekwizytów, tych ze wspomnianego już niezbędnika: pieluchy, smoczek, zabawkę...

Jeśli Twoje dziecko ma specyficzne wymagania, np. specjalną smakową kaszkę, owoc czy też ulubioną przytulankę, powinny one znaleźć się w niezbędniku. Nie muszę chyba, ale przypominam: Twoje dziecko musi być zdrowe przed wizytą. Upewnij się, że dzieci, które będą uczestniczyły w spotkaniu, również będą w dobrej formie. Pamiętaj, że jeśli coś przegapisz raz, to Twoja kobieta może Cię więcej nie puścić.

★ W SAMOCHODZIE

Dzieci trudno znoszą długie siedzenie bez ruchu. Foteliki samochodowe są więc wrogiem dla uwielbiających ruch dzieci. Czyli dla wszystkich dzieci. Nie rozumieją one, dlaczego muszą siedzieć unieruchomione. Potrafią natomiast zrozumieć inną zasadę. Samochód nie ruszy, jeśli pasy nie są zapięte. Więc jeśli Twój szkrab uwielbia jeździć autem, to szybko się tej zasady nauczy. Oczywiście, o ile Ty będziesz bezwzględnie konsekwentny. Nigdy i pod żadnym pozorem nie ustępuj i nie wypinaj dziecka z pasów!

Podróż samochodem może nie należeć do najprzyjemniejszych, ale nie musi tak być. Jeśli podróżujesz z zupełnym maluchem, to zapewnij mu maksymalny komfort. Niezależnie od tego, jakie są Twoje własne plany (800 km bez przystanku, bo kumpel tyle jechał i dał radę), rób przerwy w podróży, aby dziecko mogło chwilkę się poruszać. Zadbaj też, by mogło coś zjeść i napić się.

Na czas jazdy dobrze jest mieć pod ręką coś, czym w razie kłopotów można zabawić dziecko lub odwrócić jego uwagę od czegoś, czym nie powinno się zajmować.

W samochodzie warto, więc mieć „niezbędnik" lub jego rozszerzoną wersję, znaną pod nazwą „zestaw podróżnika".

Jeśli podróżujesz ze starszym dzieckiem, spróbuj zainteresować je samą podróżą. Przed wyjazdem zaplanuj przystanki i ciekawe punkty. Zróbcie razem plan podróży. W trakcie podróży rozmawiaj o mijanych miejscach, opowiadaj, dokąd jedziecie i jak długo będzie trwała podróż. Możesz grać w gry słowne, zgadywanki. Możesz śpiewać piosenki lub po prostu wspólnie podziwiać widoki za oknem.

Podróżowanie z dzieckiem wcale nie musi być uciążliwe, jeśli tylko dobrze wszystko zorganizujesz i zaplanujesz.

★ W RESTAURACJI

Planując wyjście z dzieckiem do restauracji czy kawiarni, najlepiej wybierz znane Ci miejsce, gdzie zwykle ludzie przychodzą z dziećmi. Na ogół są tam kredki, książeczki czy malutkie zabawki. Na wszelki wypadek miej także „niezbędnik" przy sobie.

W takim miejscu są także specjalne wysokie foteliki, by dziecko było bezpieczne przy stole. I aby Tobie było wygodnie. Wiadomo, że większość dzieci nudzi się przy stole. Nie oczekuj więc, że Twoja pociecha będzie grzecznie siedzieć przez czas. Pamiętaj jednak, jeśli jeszcze nie nauczyłeś dziecka dobrze zasad zachowania się przy stole, nie wymagaj od niego zbyt wiele.

Nie przedłużaj też posiłku w nieskończoność i pamiętaj, aby wyjście zakończyło się deserem czy lodami. Tym sposobem zwiększysz szansę, że następnym razem wszystko będzie się układać po Twojej myśli. Postaraj się uatrakcyjnić wyjście i spraw, by dziecko miało miłe wspomnienia. Jak zawsze przecież bardzo ważne jest pierwsze doświadczenie.

★ W CENTRUM HANDLOWYM

Być może – i niestety – także w Twoim domu „nową świecką tradycją" stało się spędzanie dużej ilości czasu w centrach handlowych, niekoniecznie na niezbędnych zakupach.

Centrum handlowe jest miejscem, w którym dzieci często źle się zachowują. Przede wszystkim przyjmij założenie, że nie wszyscy wokół Cię obserwują. Nie wszyscy też komentują Twoją ojcowską nieporadność. Jeśli tylko nie wpadłeś w furię, nie krzyczysz lub nie używasz przemocy, to większość dorosłych będących świadkami złego zachowania czy histerii Twojego dziecka jest po Twojej stronie.

Pamiętaj, że już kilkuletnie dziecko lubi pomagać i uczestniczyć w sprawach rodzinnych. Pozwól mu pchać wózek, trzymać listę zakupów bądź też poszukać niektórych towarów.

Możliwe, że dziecko najzwyczajniej w świecie nie potrafi wytrzymać długotrwałej wędrówki po sklepach. Spróbuj więc skrócić czas przebywania w centrum handlowym do minimum. Jeśli masz taką możliwość, po prostu nie zabieraj dziecka ze sobą.

Zadania do wykonania

- ☑ USTAL Z PARTNERKĄ ZAWARTOŚĆ NIEZBĘDNIKA DLA DZIECKA. MOŻECIE POSIŁKOWAĆ SIĘ MOJĄ PROPOZYCJĄ.

- ☑ NAUCZ SIĘ JAKIEJŚ PIOSENKI LUB WIERSZYKA DLA SWOJEGO DZIECKA.

- ☑ TRENING CZYNI MISTRZA, I TO ZARÓWNO Z CIEBIE, JAK I Z TWOJEGO MALCA. NIE ZAMYKAJ SMYKA W DOMU. WYCHODŹCIE RAZEM JAK NAJCZĘŚCIEJ. WE DWOJE LUB WE DWÓCH.

- ☑ DOWIEDZ SIĘ GDZIE, CO JEST „SCHOWANE" W DOMU.

- ☑ POPROŚ PARTNERKĘ, ABY PRZEEGZAMINOWAŁA CIĘ Z WIEDZY O WASZYM DZIECKU I JEGO POTRZEBACH. CZY NA PEWNO WIESZ, JAKĄ LUBI KASZKĘ I JAKI MA ROZMIAR JEDNORAZOWYCH PIELUCH?

Rozdział 7

Ojciec
NA CO DZIEŃ

★ INSTRUKCJA OBSŁUGI DZIECKA
★ KRÓTKI KURS GOTOWANIA
...UBIERANIA
...PIERWSZEJ POMOCY
...NIEDAWANIA SIĘ

PRZYCHODZI TAKI MOMENT W ŻYCIU
KAŻDEGO MĘŻCZYZNY...
KIEDY PRACA CZY MAŁŻEŃSTWO NIE BUDZĄ
JUŻ TYLE EMOCJI. NAJWYŻSZY WIĘC CZAS
NA NARODZINY POTOMKA. I PEWNEGO PIĘKNEGO
DNIA NA ŚWIAT PRZYCHODZI TWOJE DZIECKO. BYĆ
MOŻE WŁAŚNIE W TEJ CHWILI OGARNIA CIĘ, ŚWIEŻO
UPIECZONY LUB „PRZY NADZIEI" OJCZE, MORZE
NIEPEWNOŚCI. JEDNEGO WSZAKŻE MOŻESZ BYĆ PEWIEN
„LIFE WILL NEVER BE THE SAME, AGAIN"
(CZYLI ŻYCIE JUŻ NIGDY NIE BĘDZIE TAKIE SAMO).
PANIENKA ZE SPICE GIRLS PRZYPADKOWO TRAFIŁA
W PUNKT, CHOĆ PIOSENKA ZUPEŁNIE NIE O TYM.

Od teraz rzeczywiście wiele się zmieni. Można, a nawet trzeba zaryzykować stwierdzenie, że zmieni się wszystko. Dobiega kresu czas bycia chłopcem, nadejdzie pora na bycie wreszcie facetem. To znaczy bardziej niż przedtem, a do pełni męskości brakuje już tylko ewentualnie domu i drzewa albo tylko jednej z tych rzeczy. A przy odrobinie szczęścia żadnej. To będzie czas wytężonej pracy (jeszcze bardziej wytężonej), odpowiedzialności i wyzwań, które – chcesz czy nie chcesz – musisz pokonać. Ale dasz radę... bo jak to – Ty miałbyś nie dać rady?!

Przeczytałeś już sporą część tej książki i w końcu przyszła pora na instrukcję obsługi dziecka.

Mama Twojego urwisa też człowiek i może się zdarzyć, że zechce pójść do kina, do przyjaciółki lub po prostu zastrajkuje i wyjedzie do rodziców na weekend. Wyjdzie, ale malucha zostawi pod Twoją, jakże przecież troskliwą opieką.

Co robić, jak przeżyć?

Trochę już wiesz, jeśli uważnie przestudiowałeś poprzedni rozdział. Ale nie wiesz jeszcze wszystkiego, więc pora na kolejną porcję „dobrych rad".

Im dziecko mniejsze, tym – wydawać by się mogło – problemów mniej. Zasadniczo, jak każde zdanie zwykł zaczynać mój znajomy cieć. Przepraszam, pracownik ochrony. A więc: Zasadniczo to takie dziecko, to ono nic nie robi. Cały czas je i śpi lub dla odmiany śpi i je.

Czy rzeczywiście? Nic bardziej mylnego. Odczujesz to natychmiast, gdy tylko za mamą zamkną się drzwi. Nie pomogą zaklęcia i obiecywanie porsche na 18. urodziny. Nie pomoże „samolocik" pod sufit ani ulubiony głos ulubionego wokalisty, czyli Twój. Zasadniczo, kochany tato, masz przechlapane. A właściwie miałbyś, gdyby nie poniższe wskazówki.

Co trzeba zrobić? Jeśli czeka Was tylko samotny wieczór, to bułka z masłem: kąpiel (to wiesz), opowiadanie bajki (no tu świetnie się sprawdza opowieść o tym, jak poznawałeś mamusię) i ułożenie dziecka do snu. Jeśli Twoja partnerka wcześniej prawidłowo kładła dziecko spać, to nie powinieneś mieć wielkiego problemu. Ważne jest, aby nakarmić, przewinąć i w spokojnej atmosferze położyć do łóżeczka. Proste? Tak myślę. Poza tym ona, wychodząc, na pewno (mogę się założyć) zostawiła Ci superszczegółową instrukcję obsługi. I kilka telefonów alarmowych.

Większy kłopot może się pojawić, gdy wyszła rano i cały dzień jest Wasz. Wspaniała wiadomość! Tylko od czego tu zacząć? Wykorzystaj czas, gdy dziecko jeszcze śpi i jeśli nie masz go dotąd, zrób plan dnia. Postaraj się zaplanować wszystko w miarę dokładnie i szczegółowo.

Najpierw trzeba dziecko przebrać i przewinąć, w sumie przebierać nie musisz, ale sucha pielucha to konieczność. Maluch suchy. Chwila spokoju. Nie ciesz się za wcześnie.

Oho, słychać człowieka! Głodny, a jak głodny, to i zły. No to posiłek. Najlepiej posadzić dziecko w krzesełku (jeśli wysokie, nie zapomnij o szelkach, czyli pasach bezpieczeństwa, jak w samochodzie, wszak jedzenie to też jazda bez trzymanki). W lodówce stoją zapewne przygotowane butelki lub słoiczki. Wszystko dokładnie opisane: „przecier marchwiowy z jabłuszkiem do podania na zimno. Nie pomyl z marchewką do podania na ciepło, bo zaszkodzi". No może nie dokładnie tak, ale na pewno w tym stylu.

Teraz już z górki. W zależności od wieku albo próbuj wcelować łyżką w otwór zwany ustami, albo wręcz dziecku łyżeczkę i obserwuj, co się wydarzy.

Równocześnie szykuj się psychicznie na... czas aktywności dziecka. I tu trochę wiedzy. Dziecko, oprócz spania, jeszcze ma właśnie „czas aktywności" (u zupełnie malutkich ludzików zwany jest „okresem czuwania" – i coś w tym jest. Musisz czuwać Ty też. W zależności od wieku ten czas jest krótszy lub dłuższy. I także w zależności od wieku wymaga Twej stałej obecności lub nie. Dodatkowo zależy to także od tego, czy jesteś ojcem chłopca, czy dziewczynki.

INSTRUKCJA OBSŁUGI DZIECKA

Moje gratulacje. Witam Cię, jako szczęśliwego współproducenta! Dołożyłeś wszelkich starań, by dziecko, które masz, było zgodne z opisem prezentowanym w reklamówkach pieluszek, oliwek, wózków i czego sobie jeszcze autorzy zażyczyli. Muszę zaznaczyć, że pewne cechy Twojego egzemplarza mogą odbiegać od wyimaginowanego wzorca. Nie świadczy to o wadach, a przynajmniej nie musi. Zresztą właściciel licencji dopuszcza czasem niewielkie odchylenia od przedstawionego ideału. Niekiedy mogą się więc pojawić pewne drobne różnice. Na ogół są one naturalne i w żadnym razie nie mogą stanowić podstawy do reklamacji.

WYSTĘPUJĄ TRZY TYPY DZIECI:

A) MALUCHY

W porównaniu z tym, co spotka Cię już za kilka lat, ten typ nie jest zbyt wymagający. Metoda obsługi jest nomen omen dziecinnie prosta oraz zadziwiająco podobna do sposobu posługiwania się osobnikami wycofanymi z użytkowania. Trzeba dać im dobrze zjeść, napić się oraz zapewnić dużo snu. Kiedy nie śpią, nie są głodne ani spragnione, chcą być zabawiane. Jak więc widzisz, maluchy mają takie same potrzeby jak Ty i cała reszta ludzi na świecie. Tylko proporcje rozkładają się nieco inaczej.

B) ŚREDNIAKI

To już wyższa szkoła jazdy. One wymagają zdecydowanie więcej zaangażowania emocjonalnego i, niestety, także finansowego. Oprócz wymagań charakterystycznych dla typu „Maluch" zwykle potrzebują także: wszystkich reklamowanych zabawek, komputera z nieograniczoną liczbą gier, odtwarzacza MP3, oryginalnego kasku Kubicy czy koszulki Beckhama (chłopcy), autografu Avril Lavigne czy zestawu dorosłych kosmetyków (dziewczynki). Niektóre pragną też komórki z nielimitowanym czasem na rozmowy, SMS-y i MMS-y. W wolnym czasie są najczęściej zbuntowane lub obrażone. Bułka z masłem, prawda?

C) STARSZAKI

W zasadzie chcą tylko jednego. Świętego spokoju. No, może jeszcze potrzebują tłuściutkiej sprezentowanej przez ciebie karty kredytowej. Jest im niezbędna, by posiąść wszystko, na czym spocznie ich pożądliwy wzrok. Wolnego czasu nie mają. Jeśli wydaje Ci się, że patrzenie w sufit to wolny czas, to jesteś w błędzie. Są zajęte. Kontemplują... Cokolwiek.

Dzięki nowoczesnym systemom serwisowania dziecko na ogół nie podlega poważniejszym awariom. Należy jednak pamiętać o przeglądach okresowych. Twój urwis jest zbudowany ze zdecydowanie bardziej zaawansowanych materiałów i raczej bez kłopotu przeżyje rzeczy, po których większość dorosłych uległaby poważnym uszkodzeniom.

Dzieci niezależnie od typu regenerują się w okamgnieniu. W szczególności gdy do ich zasilania używa się hamburgerów, pizzy, napojów gazowanych, batoników oraz frytek. Koniecznie z keczupem. Stosowanie czegokolwiek innego, aczkolwiek niekiedy zalecane, nie przynosi zadowalających efektów. Rewelacyjny system regenerowania zasobów energii sprawia, że przeciętne dziecko zdolne jest do rzeczy nie do pomyślenia dla dorosłych – choćby wielogodzinnego huśtania się na ogrodzeniowej furtce. Dziecko potrafi bez żadnych oznak zmęczenia działać nieprzerwanie prawie całą dobę. Wyłączenie się dziecka następuje samoczynnie w najmniej spodziewanym momencie doby. Niestety, istnieje niebezpieczeństwo przeładowania energetycznego w wyniku stosowania zbyt bogatego paliwa. Może to spowodować skutki odwrotne.

Dzięki specjalnemu radarowi dziecko każdego typu doskonale wie, gdzie schowane są smakołyki, których nie powinno jeść (i które zjada, jak tylko odnajdzie), kiedy emitowane są filmy, których nie powinno oglądać (i natychmiast je ogląda) oraz przede wszystkim, gdzie są schowane prezenty (by natychmiast je rozpakować).

Trzeba przyjąć do wiadomości, że dziecko nie toleruje klasycznych (przestarzałych) metod wychowawczych i samo ustala dzięki wbudowanemu zegarowi, kiedy jest dzień, a kiedy noc.

Nie należy się temu dziwić, tylko dołożyć starań, by przywyknąć.

To, co oprócz przebiegu pozwala odróżniać od siebie typy dzieci, to płeć. Nie stwierdzono, która wersja jest łatwiejsza w obsłudze.

RÓŻNICE MIĘDZY PŁCIAMI

W zasadzie dzieci różnej płci traktuje się w różny sposób. Wychowując je, staramy się (często też nieświadomie) robić wszystko, aby zachowanie dziecka stało się „typowe" dla danej płci. W ten jakże prosty sposób utrwalamy stereotypy. A przecież określone wzorce zachowań nie są wrodzone. W procesie rozwoju dziecko dopiero się ich uczy.

Dzieci zdają sobie sprawę z tego, co to znaczy być dziewczynką lub chłopcem w wieku trzech – czterech lat, jednak nie rozumieją, że tak już zostanie na zawsze.

Twój syn może uważać, że aby pozostać chłopcem, powinien bawić się w „męskie" zabawy. Ty sam często nieświadomie go w tym utwierdzasz.

Około piątego roku życia Twoje dziecko prawie całkowicie uświadamia sobie, co to znaczy być dziewczynką lub chłopcem. Zaczyna zwracać wtedy uwagę na to, w co się ubiera i czym się bawi. Bawiąc się, wybiera role przypisane zwyczajowo własnej płci. Na ogół.

Postaraj się wychowywać swoje dziecko bez uciekania się do stereotypów. Pozwól czasem synowi przebierać się w zabawie w teatr, a córce podaruj zestaw do majsterkowania, skoro tak bardzo ją to bawi.

Są jednak pewne wrodzone różnice, które mają wpływ na zachowanie dzieci. Chłopcy lepiej radzą sobie z zagadnieniami technicznymi i konstrukcyjnymi. Dziewczynki natomiast mają większe umiejętności społeczne i lepiej mówią. Być może więc rodzaj wybranej zabawy jest tym właśnie uwarunkowany.

I na koniec wiadomość chyba najważniejsza. Chłopcy bardziej niż dziewczynki są narażeni na kontuzje podczas zabawy. Ich urazy są też z reguły poważniejsze. Chłopcy częściej sprawiają trudności wychowawcze.

Już wiesz, co Cię może czekać. Proponuję więc krótki instruktaż, jak sobie poradzić i pozostać przy zdrowych zmysłach.

KRÓTKI KURS JEDZENIA

Co dziecku ugotować najłatwiej? Maluchowi kaszkę. Na szczęście masz dziś w sklepach pełne półki. Słoiczki, buteleczki, półprodukty – tylko wybierać. A co tak naprawdę powinno jeść dziecko? Do roku – najlepiej, żeby był to pokarm mamy. A poza tym? Najlepiej podawać dziecku pierwsze bezmleczne pożywienie w formie soku lub przecieru z marchewki czy jabłka.

Około półroczne dziecko otwiera usta przy zbliżeniu do nich łyżki. Uczy się połykać podawane mu łyżeczką papki. Możesz więc zacząć serwować mu zupy jarzynowe.

Kiedy już zdmuchniecie pierwszą urodzinową świeczkę, do dziecięcego menu wprowadź obiad z dwóch dań. Konsystencja zupy i mięsa powinna skłaniać do przeżuwania pokarmu. Nie popełniaj błędu większości mamusiek, które z upodobaniem miksują, miksują... i potem tę zmiksowaną paciają próbują karmić dziecko.

Już roczny maluch pokazuje, czym i w jakiej ilości chce być karmiony, sam trzyma kubeczek. Pozwól mu na samodzielność.

Pozwól też swojemu dziecku pobawić się jedzeniem. Brzmi wywrotowo? Wielcy kucharze podkreślają, że tylko w okresie dziecięctwa mamy szansę poznać wielozmysłowo konsystencję jedzenia. Dzięki takiemu przyzwoleniu być może wychowasz smakosza.

Jeżeli Twoje dziecko odwraca buzię i nie chce jeść nowych, fantastycznych, ulubionych przez Ciebie potraw, należy dać mu spokój i na kilka dni przerwać próby. Jeśli czasem słyszysz, jak Twoja kobieta skarży się na problemy z apetytem oraz kłopoty z wprowadzaniem nowych produktów do diety dziecka, to w takich przypadkach radzę cierpliwość oraz łączenie nowych składników diety ze znanymi wcześniej i zaakceptowanymi przez dziecko. Zwłaszcza w okresie niemowlęcym dziecko może potrzebować nawet kilku tygodni, aby zaakceptować nowy smak i sposób jedzenia.

Może też jeszcze nie jest gotowe do zmiany diety. Karmienie na siłę nic nie da. Nie ma możliwości, by wcisnąć jedzenie przez zaciśnięte usta dziecka. Nawet jak coś na siłę wprowadzisz do buzi, maluch i tak to wypluje. W ten sposób można jedynie zniechęcić dziecko.

Jeśli Twoja partnerka ma takie pomysły i zmusza dziecko do jedzenia, to przypomnij jej (w miarę delikatnie, ma się rozumieć), jak wiele trudu kosztowało ją zgubienie zbędnych kilogramów po urodzeniu Waszego skarbu. Jeśli i to nie pomoże, to przypomnij, że dziecko ma PRAWO do niejedzenia.

Bardzo ważne jest wprowadzenie stałej pory poszczególnych posiłków oraz ograniczenie tzw. podjadania między posiłkami (zwłaszcza słodyczy).

Sposobem na zwiększenie atrakcyjności jedzenia mogą być rodzinne posiłki. Dzieci chętnie naśladują rodziców lub rodzeństwo, więc przykład idzie z góry. Zapewne zauważyłeś, że przy Tobie dziecko je lepiej, chętniej i bardziej różnorodnie. Nawet skórkę od chleba da się zjeść.

Dziecko ma znacznie mniejszy żołądek niż Ty, stąd dziecięca porcja powinna być co najmniej o połowę mniejsza niż Twoja.

...UBIERANIA

Jak ubrać dziecko, by nie wykręcić mu rąk i nie urwać głowy? Przede wszystkim, nie szalej, tak jak zwykle to robią kobiety, i nie przebieraj dziecka, gdy tylko nieco się ubrudzi. Pamiętaj, że dzieci dzielą się na brudne i nieszczęśliwe. Nie ma potrzeby zmiany bluzki czy spodenek średnio raz na godzinę. Naprawdę ten czas można wykorzystać dużo bardziej efektywnie. Na przykład na naukę samodzielnego ubierania (oczywiście dziecka starszego niż rok). Masz wprawdzie genialne dziecko, ale bez przesady.

Dzieci nie lubią się ubierać – to prawda znana od zawsze. Poza tym zawsze chętniej i z większą łatwością się rozbierają, niż ubierają.

Zamień przykrą czynność ubierania na zabawę. Zaproponuj, że i Ty się przebierzesz. Jeśli Twój przedszkolak nie chce założyć czapki (a bardzo wiele dzieci tego nie znosi), to zamiast upierać się przy tej, którą wybrała mamusia, zaproponuj dziecku wybór dowolnej czapki z kilku, które mu dasz. Powygłupiaj się. Ważne, byś osiągnął efekt.

...PIERWSZEJ POMOCY

Postaraj się skontrolować zawartość domowej apteczki. Wyrzuć wszystko, co jest nawet najbardziej potrzebne, ale utraciło datę ważności, a więc i swą moc. Oczywiście, o zawartość domowej apteczki dba Twoja partnerka, ale Ty też powinieneś wiedzieć, co i jak. Ona zapewne niedawno wszystko przeglądała. Niedawno? Pewnie jeszcze przed urodzeniem się dziecka.

Musisz wiedzieć, co i gdzie jest. W domu nie będzie problemu, ale na wyjście raczej zaopatrz się w plastry, wodę utlenioną i duuużo cierpliwości.

Co może się przytrafić w domu?

Zadławienie, zachłyśnięcie, uraz mechaniczny – połknięcie jakiegoś przedmiotu, oparzenie i pewnie wiele, wiele innych rzeczy strasznych, bo wiadomo, że skoro w domu spędzamy dużo czasu, to i więcej trafia się tu okazji do rozmaitych urazów czy wypadków. Co można zrobić, aby zminimalizować przykre dla dziecka i dla siebie skutki?

Zabezpiecz dom najlepiej, jak potrafisz. Zaślepki do kontaktów, maty antypoślizgowe, specjalne żelowe ochraniacze na kanty stołów i szafek. Blokady do szuflad i okien oraz blokady, by nie trzaskały drzwi. Zabezpiecz kable... kabel tak świetnie pomaga przy wstawaniu. Podwiń firanki i zbyt długie obrusy. Zabezpiecz szuflady w komodzie i pamiętaj – regały na książki MUSZĄ być przymocowane do ściany. W kuchni i łazience schowaj wszystkie chemikalia do zamykanej na klucz szafki, a leki zamknij do apteczki poza zasięgiem ręki i wzroku dziecka.

Schowaj wszystkie ostre przedmioty. Zabezpiecz balkon i pozabieraj z niego wszystkie sprzęty czy paczki, po których można by się wspiąć. Wszystko, co stoi luzem, zabezpiecz, aby nie mogło się przewrócić. Kuchenkę gazową osłoń specjalną płytą, by dziecko nie mogło dosięgnąć do ognia.

Zrobienie tych wszystkich zabezpieczeń to Twój obowiązek. Jeśli zrobisz to dobrze, Twoje dziecko na pewno będzie bezpieczniejsze. I może nie dozna urazu i nie zrobi sobie krzywdy. Oczywiście, Ty nadal masz mieć oczy dookoła głowy, ale teraz już przynajmniej nie grozi Ci „domowa pląsawica".

Nie wystarczy po kilka razy dziennie powtarzać zakazów. Po prostu musisz zabezpieczyć, co się da. Uniemożliwić dziecku dostęp do miejsc, które są dla niego najbardziej niebezpieczne. Jego ciekawość świata może być silniejsza niż Twój zakaz. I często będzie.

OTO MIEJSCA, KTÓRE MUSISZ
SZCZEGÓLNIE ZABEZPIECZYĆ:

★ GNIAZDKA ELEKTRYCZNE

Twoje dziecko jak każde inne jest szalenie zainteresowane dwiema dziurkami w ścianie, gdzie można coś włożyć. Na takie eksperymenty nie możesz jednak pozwolić, a wiesz już, że same zakazy nie skutkują. Dlatego zabezpiecz każde gniazdko specjalnymi plastikowymi zaślepkami, których dziecko nie jest w stanie wyjąć. Nigdy nie zapominaj włożyć ich z powrotem za każdym razem po odłączeniu jakiegoś sprzętu.

★ BALKON I OKNA

Nawet jeśli balkon wydaje się Ci się bezpieczny, usuń z niego wszystkie przedmioty, po których można by się wspiąć. Nigdy nie zostawiaj dziecka na balkonie bez nadzoru. Pamiętaj, by przy parapetach nie stało nic, po czym dziecko mogłoby się na nie wdrapać. Okna koniecznie zabezpiecz blokadami i załóż je jak najwyżej. Nie pozwól swojej kobiecie ani nikomu innemu stawiać dziecka na parapecie nawet zamkniętego okna, by zrobić „pa-pa" tatusiowi. Jeśli obowiązuje zakaz „nie wolno wchodzić na parapet", to nie ma od tego wyjątków.

★ KUCHNIA

Jeśli jesteś zapalonym kucharzem, sporo czasu zapewne spędzasz w kuchni. Twoje dziecko będzie więc tam za Tobą wędrować. Pamiętaj zatem o zabezpieczeniu kuchenki, tak aby maluch nie mógł wyciągnąć ręki do zapalonego palnika lub ściągnąć garnka z gotującą się wodą. Gotuj zawsze na palnikach bliżej ściany. Pamiętaj, że gdy włączony jest piekarnik, zazwyczaj nagrzewa się cała kuchenka. Lepiej więc piecz pizzę, gdy dziecko śpi, lub na ten czas wychodź z nim z kuchni.

★ SCHOWEK NA CHEMIKALIA

Proszki do prania, płyny do czyszczenia, kosmetyki, środki do pielęgnacji mebli zawierają szkodliwe, a nawet trujące substancje, dlatego muszą znajdować się poza zasięgiem dziecięcych rąk. Niestety, środki te czasem są w kolorowych, bardzo atrakcyjnych opakowaniach, mają śliczny kolor i na dodatek pięknie pachną. Kuszą. Zawsze trzymaj chemikalia w jednym miejscu, w zamykanej szafce, której maluch sam nie zdoła otworzyć.

★ APTECZKA

Zainstaluj zamek na szafce, która służy za apteczkę. Trzymaj tam wszystkie domowe lekarstwa, najlepiej wysoko, poza zasięgiem dziecka. Gdy poniewierają się po domu, trudno przypilnować, by dziecko ich nie dostrzegło i nie zjadło. Nigdy też nie wyrzucaj lekarstw do kosza na śmieci – malec mógłby je wyjąć i połknąć.

★ SCHODY

Jeśli masz w domu schody, koniecznie je zabezpiecz. Nie ma bowiem siły, która powstrzymałaby Twoje dziecko od wspinania się na nie. Pamiętaj, by to zrobić, zanim Twoja kobieta Cię o to poprosi.

Dziecko musi nauczyć się wchodzenia i schodzenia, nigdy jednak nie powinno robić tego samo, bo może się to skończyć upadkiem. Domowe schody zabezpiecz więc specjalną bramką (musi być solidnie wykonana i dobrze przymocowana do ściany). Gdy maluch będzie już pewniej chodził, zamontuj ją na wysokości trzeciego stopnia – w ten sposób dziecko będzie miało okazję ćwiczyć wspinanie się, nie robiąc sobie krzywdy.

★ SZAFKI, SZUFLADY I REGAŁY

Zainstaluj specjalne blokady, dzięki którym dziecko nie będzie mogło szuflad otworzyć. Wyznacz jedną szafkę, taką dla dziecka, zgromadź tam garnki, drewniane i plastikowe naczynia, sitka, czyli przedmioty względnie bezpieczne.

Wszystko, co ostre i niebezpieczne, schowaj w najwyżej położonych szafkach i szufladach, do których szkrab nie ma dostępu.

Regały przymocuj do ścian.

Zadania do wykonania

- ▢ ZRÓB SOBIE ŚCIĄGĘ: ZAOBSERWUJ LUB ZAPYTAJ, NA JAKIE BODŹCE WASZA POCIECHA NAJLEPIEJ REAGUJE: BUJANIE, SZEPTANIE CZY W OSTATECZNOŚCI NOSZENIE NA RĘKACH LUB BUTLĘ ZE SMOCZKIEM.

- ▢ POWIEŚ W WIDOCZNYM MIEJSCU, A GDY WYCHODZISZ Z DZIECKIEM MIEJ PRZY SOBIE LISTĘ TELEFONÓW ALARMOWYCH: OPRÓCZ PARTNERKI TAKŻE OBU MAM. OBOWIĄZKOWO TELEFON DO LEKARZA RODZINNEGO, KTÓRY ZNA WASZE DZIECKO.

- ▢ ZRÓB PRZEGLĄD MIESZKANIA I ZABEZPIECZ, CO SIĘ DA, KORZYSTAJĄC ZE WSKAZÓWEK W POWYŻSZYM ROZDZIALE.

W CO SIĘ BAWIĆ?

★ DZIECKO PONIŻEJ 1. ROKU
★ OD 1. ROKU DO 2 LAT
★ OD 3 DO 5 LAT
★ OD 5 DO 7 LAT
★ WIOSNA, LATO, JESIEŃ, ZIMA
★ W DOMU I NA SPACERZE

„W CO SIĘ BAWIĆ, W CO SIĘ BAWIĆ?"
- RÓŻNE DZIECI LUBIĄ RÓŻNE ZABAWY, BO MAJĄ ODMIENNĄ WRAŻLIWOŚĆ, POTRZEBY CZY NAWET POCZUCIE HUMORU. SĄ TEŻ W WIEKU ODPOWIEDNIM LUB NIEODPOWIEDNIM DO PEWNYCH GIER. POZA TYM PREFERUJĄ STYL BARDZIEJ DZIEWCZĘCY LUB MĘSKI, W ZABAWACH OCZYWIŚCIE. KAŻDY KILKULATEK, NIEZALEŻNIE OD PŁCI, CHĘTNIE JEDNAK POKOPIE PIŁKĘ CZY POJEŹDZI NA ROWERZE. ALE CO ROBIĆ DO TEGO CZASU? JAK PRZETRWAĆ LATA, GDY TEORETYCZNIE NIE MA W CO SIĘ BAWIĆ?★

Bo przecież „lulanie", „kichanie na głos" czy choćby słynne „pierdziochy" to chyba nie zabawa? A jednak tak, choć pewnie uważasz, że nie jest to zabawa GODNA Ciebie, mężczyzny. Ojca rodziny. Eee, ojciec. Taki nabzdyczony to chyba jednak nie jesteś i wierzę, że lubisz przytykać usta do dziecinnego brzuszka i głośno wypuszczać powietrze, powodując, z przeproszeniem, pierdnięcie, stąd nazwa tej niewyrafinowanej może, ale moim zdaniem bardzo przyjemnej zabawy. No, ale ile tak można, prawda? Pomysły kiedyś miałeś dobre i na podwórku brylowałeś wśród kolegów. Wymyślałeś najróżniejsze gry i zabawy, a teraz? A teraz, co? Czyżby jedyne, na co cię stać, to patrzenie z dzieckiem, „jak trawa rośnie"? Czyżby Tobie i Twojemu dziecku miała grozić nuda? Nie ma mowy! Nie pozwalam. Od czegoś jednak trzeba zacząć, a najprostsze i najfajniejsze (w każdym wieku) jest przytulanie.

Czas, który teraz poświęcisz na przytulanie, bujanie czy rozśmieszanie niemowlaka, jest niezwykle ważny. Ma wpływ na to, jakie będą Wasze relacje za kilka czy kilkanaście lat! To właśnie teraz Twoja latorośl najszybciej zrozumie i zapamięta, być może na zawsze, że tata też jest ekstra.

Bo dziecko, które poznaje Ciebie, spędzając z Tobą czas również na zabawie, chce z czasem Cię naśladować, zwierzać się i być Twoim przyjacielem. Będąc takim tatą, masz szansę szybciej stać się wzorem i autorytetem. To tylko Tobie można będzie wyznać straszną prawdę o wydartej w spodniach dziurze. O takim ojcu dziecko powie: „A mój tata ma zawsze rację". Warto, prawda?

W końcu zabawa z tatą to zupełnie co innego niż z mamą. Mama jest taka delikatna i ostrożna we wszystkim. Tak wielu rzeczy się boi i wciąż czegoś zabrania. A z tatą to jednak można poszaleć na całego... No, przynajmniej troszeczkę.

Mama ogólnie bywa nudna, bo ciągle tylko coś każe i pokrzykuje, wymaga i karci, czasem straszy i daje paskudztwa do jedzenia, nie potrafi się tak wspaniale bawić, ale tata? To zupełnie inna liga, z nim można się powygłupiać, zrobić wyścigi na czworakach i w ogóle jest wspaniale.

Miło to czytać, prawda? A jeszcze przyjemniej w to uwierzyć. A dlaczego tak się dzieje? Bo mama przeważnie „siedzi" z dzieckiem cały dzień, a tata znika i pojawia się nagle, więc jest bardziej atrakcyjny – zupełnie jak nowa zabawka.

A więc do dzieła! To znaczy, bawcie się dobrze. Od czego zacząć? To proste, wystarczy schować do szafy garnitur, odkurzyć w pamięci swoje ulubione zabawy i choć na chwilkę z powrotem zamienić się w dziecko.

Zabawa w każdym wieku jest niezbędnym elementem rozwoju. Daje oczywiste korzyści. Może być efektem własnej pomysłowości Twojego dziecka bądź też współpracy z Tobą czy inną osobą dorosłą. To właśnie Ty masz okazję dostarczyć w zabawie ważnych treści społecznych i wzorców zachowania.

Malutkiemu dziecku to właśnie Ty powinieneś zorganizować zabawę. Twój przedszkolak powinien już umieć bawić się sam.

Pierwsze sześć lat życia dziecka to czas zabawy, nie lekceważ więc jej znaczenia. Dziecko w każdej, nawet najbardziej prozaicznej i nudnej czynności jest w stanie (czasem może dzięki Twojej pomocy) odnaleźć pierwiastek zabawy. Spędzając czas na zabawie z dzieckiem, zachęcasz je więc do samodzielnego rozwiązywania problemów.

Przyglądając się zabawie, dowiesz się, w jaki sposób myśli Twoje dziecko. Zainwestuj więc nieco czasu, obserwując, jak Twój malec bawi się sam bądź też z innymi dziećmi.

Tak często, jak to tylko możliwe, pozwalaj dziecku całkowicie kierować zabawą. Niech wybierze, w co i jak długo się będziecie bawić. Zaproponuj, by to ono wymyśliło reguły. Staraj się codziennie, choć przez chwilę, bawić z dzieckiem według jego zasad.

Nie ma żelaznych prawideł, według których powinna przebiegać zabawa w konkretnym okresie życia dziecka. Ogólnie rzecz biorąc, jeśli dziecko dobrze się bawi, to znaczy, że gra czy zabawa jest dla niego właściwa. Dobrze jest jednak wiedzieć, że pomysły na zabawy i preferencje dziecięce ulegają zmianom.

Maluszki lubią bazgrać kredkami, bawić się zabawkami przypominającymi przedmioty codziennego użytku oraz śpiewać. Przedszkolaki lubią układanki i zabawy muzyczne. Ponieważ mają dużo większe możliwości, zabawy te są bardziej złożone. Uwielbiają przebieranki i opowiadanie wymyślonych historyjek.

Jeśli się zainteresujesz zabawą swojego dziecka, to na ogół zostaniesz do niej zaproszony. Zawsze zapytaj, czy możesz przyłączyć się do zabawy. Wspólny czas spędzony właśnie na bawieniu się jest potrzebny zarówno jemu, jak i Tobie.

Dziecku, – ponieważ wspiera jego rozwój, Tobie, – ponieważ dostarcza wielu informacji na jego temat.

Zabawa zaspokaja ważne potrzeby dziecka, przede wszystkim potrzebę aktywnego poznawania i przekształcania rzeczywistości. Dzięki temu lepiej orientuje się ono w świecie przyrody i życiu społecznym, uczy się rozumieć rzeczywistość i odróżniać świat realny od fikcji.

Zabawy sprzyjają rozwojowi ruchowemu dziecka doskonalą więc jego sprawność fizyczną, rozwijają umiejętność obserwacji, doskonalą mowę, bo stwarzają okazję do przyswojenia nowych słów, określeń i pojęć, rozwijają myślenie i wszystkie operacje umysłowe. Sporo, nieprawdaż?

Dzięki zabawie dziecko ma szansę rozwinąć w sobie również zdolność do podporządkowania własnej aktywności i impulsywnych dążeń wymaganiom innych.

Szczególnie ważne jest również to, że w zabawie – o wiele wcześniej niż w rzeczywistych sytuacjach – kształtuje się umiejętność kierowania własnym zachowaniem.

Zabawka to przedmiot, który pozwala zdobywać wiedzę i doświadczenie, ćwiczyć różnorodne umiejętności i sprawności, pobudza aktywność poznawczą, twórczą, ruchową, wspomagając społeczny i emocjonalny rozwój dziecka.

Dobrze dobrana zabawka rozwija te zdolności, które na danym etapie rozwoju są najważniejsze – począwszy od odkrywania własnego ciała, dostrzegania tego, co je otacza, rozróżniania głosów innych niż głos mamy, a skończywszy na naśladowaniu czynności dorosłych i pierwszych zabawach ćwiczących umysł.

W przypadku najmłodszych dzieci dobra zabawka powinna wspomagać rozwój ruchowy, a więc motorykę, manipulację i korzystnie wpływać na emocje. U starszych oprócz tego powinna rozwijać mowę, myślenie i umiejętności społeczne.

Proponuję docenić tak zwane przytulanki. Uczą one dziecko wyrażać emocje i uczucia, zarówno pozytywne, jak i negatywne, są cenną pomocą w odkrywaniu świata, dają poczucie bezpieczeństwa.

Im aktywniej jesteś zaangażowany w zabawę, tym bardziej kształtuje ona rozwój dziecka. Twoje uczestnictwo, a także zachęcanie dziecka do działania, nie tylko wydłużają czas zabawy, ale również podnoszą jej poziom. Zabawa wzmacnia więź pomiędzy Tobą a dzieckiem. Bawiąc się razem, stwarzasz poczucie bezpieczeństwa, dostarczasz coraz to nowych bodźców, uczysz, jak się bawić.

Oto kilka moich propozycji na dobry początek.

DZIECKO PONIŻEJ ROKU

W tym okresie rozwoju dziecko poznaje świat wielozmysłowo. Żeby coś poznać, musi, po prostu MUSI, użyć wszystkich zmysłów: smaku, węchu, wzroku, słuchu i dotyku. I tak też się dzieje.

Zabawka jest warta uwagi dopóty, dopóki nie zostanie dokładnie wyśliniona.

Ale oprócz sensorów rozwija się i motoryka, a więc ruch, ruch i jeszcze raz ruch. Od samego patrzenia na dziecko w tym wieku można dostać zadyszki.

Musisz jednak pamiętać, że w czasie zabawy z niemowlakiem zabronione są jakiekolwiek gwałtowne ruchy. Trzeba zawsze zasygnalizować dziecku swój zamiar, a dopiero później działać. Unikniesz w ten sposób w wielu wypadkach płaczu wywołanego przestraszeniem się malca.

Koniecznie trzeba też unikać potrząsania, i to z kilku powodów.

Po pierwsze, nie rób „sztormu" w wózku i podczas usypiania – dziecko może się do tego przyzwyczaić i domagać coraz szybszego tempa, a po drugie, zbyt gwałtowny ruch może doprowadzić do urazu fizycznego, np. podczas podnoszenia lub szybkiej „karuzeli". Pamiętaj, że zdarzają się też wyjątkowe dzieci, które mogą nie lubić tego typu zabaw.

★ SAMOLOCIK

Poznawaniu i ocenianiu wysokości
czy oswajaniu z przestrzenią służy naj-
prostszy samolocik, czyli unoszenie nad
głowę i łagodne opuszczanie nad twarz.
Inna wersja to noszenie dziecka twarzą
do dołu (jakby na brzuszku) w niewiel-
kiej odległości nad podłożem (najlepiej łóżkiem) w pozycji horyzontalnej.
Maluch ma wtedy wrażenie, że unosi się
sam, że lata.

★ BASEN

Już z niemowlakiem można i warto zapisać się na basen. Ryzyko urazu podczas
zabawy z rozsądnym ojcem jest ogra-
niczone do minimum. Dzięki zajęciom
na basenie Twoje dziecko będzie spraw-
niejsze. Ćwiczenia w wodzie stymulują
bowiem rozwój mięśni. Szybciej zacznie
więc siadać i chodzić. A gdy podrośnie,
nie będzie bało się wody i szybko, bez
problemu, nauczy się pływać. Możesz
rozpocząć naukę pływania już w czwar-
tym miesiącu życia dziecka. Ty zaś w roli
ratownika zapewnisz maluchowi bezpieczeństwo.

Niemowlak jest doskonałym nurkiem,
bo zanurzony w wodzie odruchowo zamyka buzię i wstrzymuje oddech.

Przed pierwszą wizytą na basenie
warto odwiedzić pediatrę. Nigdy nie
idź z dzieckiem na wodne szaleństwo,
jeżeli jest chore lub osłabione. Dokładnie
też sprawdź, jakie warunki panują na
wybranej pływalni. Basen powinien mieć
czystą, ozonowaną wodę, której tempe-
ratura wynosi przynajmniej 30ºC.

Nim wybierzesz się na prawdziwy
basen, pierwsze lekcje możesz zorganizować w domowej łazience. Począt-
kiem nauki pływania może być bowiem
codzienna kąpiel, jeśli nie ograniczysz jej
do niezbędnych zabiegów higienicznych.
Takie pierwsze doświadczenia mają wiel-
kie znaczenie i z czasem przydają się
w późniejszej nauce. Pamiętaj,
aby dziecka do niczego nie zmuszać i nie
starać się zrobić z niego od razu Otylii
Jędrzejczak. To ma być przecież zabawa
w wodzie, a nie trening wyczynowego
pływaka. Jeśli dziecko polubi „mokre
zabawy", będzie w nich uczestniczyło
chętnie, a od tego właśnie zależy powo-
dzenie całych zajęć.

Jeśli chcesz mieć z dzieckiem lepszy
kontakt, to spróbuj pobawić się z nim
w zabawy trenujące inteligencję społeczną. Ucz swoje dziecko odczytywania
emocji i wyrażania ich.

★ POJEDYNEK NA MINY

By przyciągnąć uwagę dziecka, wy-
daj jakiś zabawny dźwięk. Potem zrób
śmieszną minę lub pokaż język. Szybko
zauważysz, że dziecko zaczyna wchodzić
z Tobą w kontakt. Zacznie się cieszyć
tym, co widzi, i naśladować Cię. Będzie
tak jak Ty zwijać usta w tubkę, wycią-
gać i chować język, nadymać i wciągać
policzki. W ten sposób możesz się bawić
nawet z noworodkiem.

★ ILE MASZ PALUSZKÓW

Złap gołe stopy dziecka i delikatnie nimi
poruszaj, jednocześnie je masując. Potem
dotykaj kolejno każdego palca i lekko
go łaskocząc, z każdym „porozmawiaj",
aż dojdziesz do dużego palca. Na koniec ucałuj głośno obie stopy, wydając

śmieszny dźwięk. Nawet już miesięczne dziecko będzie się cieszyć, oczekując tej zabawy. Wszystkie zajęcia, w których na wszelkie możliwe sposoby rozśmieszasz dziecko, są wspaniałą formą wspólnej zabawy.

★ HOP, DO GÓRY!

Chwyć pewnie dziecko i unoś je w górę i w dół. Mów przy tym, co robisz: „Lecimy do góry...", „Spadamy w dół...". Możesz zmieniać ton głosu w zależności od wysokości. Dziecko też zacznie radośnie popiskiwać podczas tej zabawy. Pamiętaj! Nie wolno Ci w żadnym wypadku podrzucać dziecka. Musi być ono cały czas w Twoich rękach. Tę zabawę uwielbiają najmłodsi.

★ LATAJĄCE PSZCZÓŁKI

Wyciągnij palec w stronę dziecka i wydawaj dźwięk przypominający pszczółkę. Zatrzymuj palec w powietrzu lub na jakichś przedmiotach – wtedy przestawaj „bzyczeć". Od czasu do czasu pozwól, by owad usiadł na Twojej twarzy albo na buzi dziecka. Delikatnie łaskocz przy tym malca. Oczekiwanie, aż pszczółka usiądzie na nosku lub uszku dziecka, kończy się na ogół radosnym śmiechem.

★ LATAJĄCE PSZCZÓŁKI

Trzymając dziecko na kolanach, udawaj jazdę po wyboistej drodze jak przy zabawie w „konika". Od czasu do czasu wpadajcie w dziurę – podtrzymując dziecko, pozwól mu nieco opaść w przerwę między rozsunięte kolana. W innej (rozszerzonej) wersji możesz śpiewać piosenkę na dowolną melodię:
„Jedzie sobie konik przez zielony las za konikiem pszczoła bzyka raz po raz pszczoła się zmęczyła konia ukąsiła... patataj, patataj, patataj".

Nie muszę chyba wyjaśniać, że sposób bujania jest powiązany z treścią wyśpiewywanej bajeczki.

Zabaw dla niemowlaka, czyli dla dziecka do końca pierwszego roku życia, jest mnóstwo. Wszystko zależy od Twojej pomysłowości oraz oczywiście od chęci i czasu.

MIĘDZY 1. A 2. ROKIEM ŻYCIA

Zawsze warto się bawić z dzieckiem. Kiedy Twoja pociecha skończy rok i zacznie sama się poruszać, intensywności nabiorą zabawy ruchowe. Inną ulubioną formą są zabawy prowokujące do myślenia. Dziecko w tym wieku może bez znudzenia spędzić wiele minut na wkładaniu jednego przedmiotu w drugi.

W tym wieku dzieciaki uwielbiają zabawy dużą piłką (turlanie, rzucanie, nauka łapania).

Są zafascynowane lustrem. Zakochują się w pacynkach i przytulankach. Rozpoczyna się budowanie z klocków i proste układanki.

★ SZUKANIE KRYJÓWKI (A KUKU)

Kiedy jesteś pewny, że Twoje dziecko jest w pokoju bezpieczne, po prostu się schowaj. Czekaj cierpliwie, aż Cię znajdzie. Możesz trochę w tym pomóc, wydając śmieszne dźwięki. Gdy dziecko Cię odnajdzie, zawołaj „a-kuku!" i utul w nagrodę. To wspaniała zabawa dla malca. Pamiętaj jednak o pewnej zasadzie. Dziecku wydaje się, że nikt go nie widzi, jeśli samo ma tylko zamknięte oczy. Niech więc Cię nie zdziwi, że gdy ma się schować dziecko, to stanie ono na środku pokoju i po prostu położy dłonie na oczach.

★ WIELKA POGOŃ

Gdy dziecko samo już się porusza, uwielbia gonitwy i ucieczki. Udawanie, że chcesz je złapać i nie zawsze Ci się to udaje, sprawia dziecku mnóstwo radości i jest jednym z zabawowych pewniaków.

★ Zabawy Intelektualne

W tym czasie dziecko bawi się długo i namiętnie we wkładanie i wyjmowanie, lubi dopasowywać kolory i kształty, układać drewniane puzzle czy grać w memory. Uwierz mi, że zdziwisz się, jak bardzo spostrzegawcze jest Twoje dziecko. Jaką naprawdę świetną ma pamięć i jak rewelacyjnie potrafi Cię ograć w tak prostą grę jak memory. Tak, tak, Twoje dwuletnie dziecko.

Oczywiście zdaję sobie sprawę, że aby wyczerpująco podpowiedzieć, jak można bawić się z dzieckiem, powinnam napisać drugi osobny tom tej książki. Proponuję więc zajrzeć do pierwszej z brzegu księgarni, biblioteki czy poszukać w Internecie na stronach dla ojców. Możesz też popytać bardziej doświadczonych tatusiów lub po prostu pokombinować samemu.

Z czasem zauważysz, że Twoje dziecko zaczyna być coraz bardziej wymagające, jeśli chodzi o zabawę. Nie wystarcza mu już podrzucanie czy łaskotanie. Teraz trzeba naprawdę ruszyć głową, by je zadowolić. Oczywiście również ze starszym dzieckiem możesz się nadal z przyjemnością bawić w najprostsze, „pierdziochy", ale... pamiętaj, że niczego nowego go tym nie nauczysz. Przemycanie wiedzy w formie zabawy jest bardzo efektywną, a dodatek przyjemną dla „ucznia" i „nauczyciela" metodą.

MIĘDZY 2. A 3. ROKIEM

Dla tej grupy wiekowej nadal najbardziej fascynujące są zabawy ruchowe. Wzrasta jednak stopień ich komplikacji. Drabinki, huśtawki, fikołki, skakanie i bieganie. Rower, a wraz z nim nauka równowagi i koordynacja ruchowa całego ciała. To w tym wieku priorytet. Zaczyna się też pojawiać zapotrzebowanie na gry i zabawy intelektualne oraz zabawy słowne. Piłka, kręgle, pociąg, telefon, dopasowywanie kształtów i kolorów to ulubione zabawy w tym wieku.

★ Naleśniki

Ponadroczne dzieci uwielbiają być zawijane w koc i rozwijane, turlane po miękkim podłożu (pamiętaj, żeby trzymały rączki blisko ciała). Ta zabawa w robienie naleśników to oprócz zawijania dziecka również potem „krojenie" udawane dłonią oraz „polewanie śmietanką", czyli łaskotki.

★ Atak „Morderczych Całusków"

Zabawa polega oczywiście na całowaniu gdzie popadnie, które to całowanie doprowadza do niepohamowanego huraganu śmiechu.

★ Zamiana Ról

Tata staje się na chwilę dzieckiem, bawi się klockami, turla się po podłodze i słucha, jak dziecko „czyta" książeczkę.

★ DZIKIE ZABAWY

Zabawy na materacu, które można wyprawiać tylko z tatą. Łażenie po tacie, fikołki, podskoki. Pamiętaj, by zapewnić dziecku bezpieczeństwo. W tym czasie może lepiej, żeby mama była zajęta czymś innym. Inaczej usłyszysz, że jesteś... mało odpowiedzialny.

★ PADAM, PADAM

Na miękkim podłożu, w wodzie, na piasku, na kocu czy materacu (byle nie na tapczanie) można dziecko delikatnie przewracać. Bo przecież upadania też trzeba się gdzieś nauczyć. Taka zabawa zazwyczaj wywołuje salwy śmiechu.

★ SPACER Z TATĄ

Na spacerze można wszystko. Karmić kaczki i łabędzie. Zbierać szyszki i patyczki. Podnosić i oglądać mrówki oraz wszelkie robale. Poznawać świat, w którym pojawiają się nowe, tajemnicze istoty w postaci much, ślimaków itp. Pełznąć na czworakach, by podpatrzeć wiewiórkę. Z tatą świat jest wielką przygodą. A najmniejszy parkowy skwer może być dżunglą i wyprawą w nieznane.

★ BUDOWLE Z KLOCKÓW

Takie zabawy rozwijają w dziecku wyobraźnię. Z klocków może powstać most, dom, droga... w zasadzie wszystko. Najlepsze klocki to poczciwe klocki drewniane. Warto pamiętać, że dla dziecka w tym wieku większą frajdą jest burzenie niż budowanie. Najwięcej śmiechu jest więc wtedy, gdy ustawiona uprzednio wieża z hukiem się przewraca.

★ ZABAWY NA SPOSTRZEGANIE I ZABAWY LOGICZNE

Wspaniałe są puzzle, memory, proste obrazkowe domino. Te zabawy są atrakcyjne nie tylko w deszczowe dni.

★ MALOWANKI, RYSOWANKI I SKŁADANIE PAPIEROWYCH KSZTAŁTÓW

Pierwsze „rysunki" są wyrazem fascynacji samą przyjemnością ruchu. Dziecko odkrywa związek przyczynowo-skutkowy. Rodzi się świadomość siebie i własnych możliwości sprawczych. Dziecko odczuwa przyjemność, widząc, że samo czegoś dokonuje.

W tym wieku dzieci, tworząc swoje dzieła, nie odrywają ręki od podłoża. Na początku są to „bazgroły" wykonywane wahadłowym ruchem ręki. Z czasem pojawia się spirala, a następnie kółeczka i figury im podobne. Młodsze dziecko rysuje całą ręką, wyprostowaną w łokciu. Z czasem udoskonala technikę, uruchamia staw łokciowy, a potem dłonie i paluszki.

W trzecim roku życia dziecko próbuje nadać treść swojemu rysunkowi. Do kształtu dopasowuje więc znaczenie, ale już po stworzeniu rysunku. Za każdym razem inne. Trzylatek ma coraz sprawniejszą dłoń i wprawia się w technice.

Stopniowe opanowywanie rysowania kółeczek i prostych kresek przygotowuje malucha do rysowania postaci. Powstają pierwsze tzw. głowonogi – koło lub owal, od którego odchodzą kreski, czyli ręce i nogi. Kiedy malec staje się bardziej świadomy swojego ciała, rysowana postać nabiera innych kształtów, ma też więcej szczegółów.

Dzieci uwielbiają w tym wieku wszelkie zabawy z papierem. Zgniatanie, rwanie, moczenie w wodzie, wycinanie (tak, już trzylatkowi można dać specjalne nożyczki – oczywiście pod naszym nadzorem) i składanie. Naresznie więc masz szansę zbudowania w końcu prawdziwego latającego samolotu. Z papieru, ale zawsze.

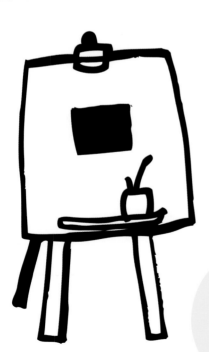

★ PLAC ZABAW

Wyzwaniem dla ojców trzylatków jest plac zabaw. W tym wieku dziecko nie rozumie, że z drabinki może spaść, ze zjeżdżalni zbyt szybko zjechać albo że huśtawką można nieźle oberwać, gdy się nieopatrznie podejdzie zbyt blisko. Masz więc pole do popisu, powinieneś pozwalać na wiele i jednocześnie przed wieloma rzeczami ostrzegać. Czasami lepiej jest nie zabraniać, a ewentualne niebezpieczne aktywności ukierunkowywać w inną stronę. Plac zabaw z tatą jest o wiele ciekawszy niż z mamą. Jeśli twój trzylatek marzy tylko o drabinkach, wybierz ten plac, który ma podłoże tartanowe lub trawiaste, a nie betonowe. Jeśli lubi się huśtać, nie spuszczaj go z oka, ucz utrzymywania równowagi i z czasem samodzielnego rozhuśtywania.

Plac zabaw w domu? Jak najbardziej, pod warunkiem że masz na to warunki i że Twoja partnerka się zgadza. Fikołki też są ze wszech miar wskazane, choć zawsze pod kontrolą. Dziecko trzeba uczyć, jak wykonuje się ćwiczenia gimnastyczne. Czasem potrzeba wielu powtórzeń, aby umiało bezpiecznie i samodzielnie wykonać jakąś ewolucję. W dalszym ciągu absolutnie nie powinno się dziecka wysoko podrzucać i odwracać do góry nogami.

★ NAUKA PŁYWANIA Z TATĄ

Jeśli nie zacząłeś nauki pływania, gdy Twoje dziecko miało kilka miesięcy, to teraz jest najwyższa pora. W sumie niektórzy twierdzą nawet, że ostatni dzwonek. „Wodne" dzieci są zdrowsze i lepiej się rozwijają. Pływanie ma w zasadzie same zalety, wzmacnia czynność serca, poprawia krążenie i oddychanie, a także uodparnia organizm. Wiele ośrodków prowadzi specjalne szkółki dla małych dzieci, gdzie pod okiem fachowca rodzice wraz z maluchami poznają pierwsze ćwiczenia. Możesz też sam zabawić się w trenera swojej trzyletniej pociechy. Byle bezpiecznie i z umiarem. Kiedy maluch przyzwyczai się już do wody, możesz przejść z nim na głębszy basen.

Pływanie w kole lub „zarękawkach" daje maluchowi wiele radości i oswaja z wodą. Gdy dziecko będzie starsze, gumowi „pomocnicy" przydadzą się do pierwszych prób samodzielnego pływania.

WIEK PRZEDSZKOLNY

W tym wieku dziecko zaczyna się fascynować słowem, pasjami bawi się w zgadywanki czy wymyślanki. Uruchamia się wyobraźnia. Staje się coraz bardziej wymagającym partnerem we wspólnie spędzanym na zabawie czasie.

Domowe zabawy to najczęściej budowanie zamków, walki na poduszki czy też przebieranki. Pojawia się nagle zainteresowanie sklepem, pocztą, czyli zabawy w role. Nadal dopuszczalna i lubiana jest zabawa klockami, ale przestają już wystarczać te drewniane. Teraz musi się już coś dziać.

Miejscem zabaw nie jest już tylko dom i podwórko (czy plac zabaw). Twój syn czy córka może bawić się wszędzie. W autobusie, w tramwaju, w kolejce do lekarza, w urzędzie, w samochodzie, jadąc na wakacje, czyli dosłownie wszędzie.

Oto kilka z wielu możliwych zabaw.

W DOMU

★ „ZAMEK WAROWNY"

Zamek budujemy z foteli i zdjętych z nich poduszek. Czasami zamienia się on w fortecę (jeśli akurat jest pora obiadu, na który jest jakieś niepopularne danie), czasami w autobus albo tramwaj. Zdarza się, że musisz się tam dostać do środka, a jest bardzo ciasno. Wówczas potrafi być prześmiesznie.

★ ROZMOWY PLUSZAKÓW

Wszystkie domowe bieżące wydarzenia możesz obgadać w ten sposób: „Co myślisz o myciu zębów?", „Dlaczego po kąpieli kładziemy się spać?", „Na jaki kolor pomalować ściany w przedpokoju?". Każdy z uczestników „jest" jednym z pluszaków. Dowiesz się wtedy, co tak naprawdę myśli Twoje dziecko, czego się boi, a co je bawi.

★ PIRACI I MAPA SKARBÓW

Narysuj plan mieszkania i zaznacz, gdzie są wszystkie sprzęty. Potnij to na spore kawałki i schowaj. Dzieci muszą znaleźć pierwszą część mapy. Tam jest wskazówka, gdzie jest schowana dalsza część. Szukają tak do ostatniej. Na ostatnim kawałku jest narysowany skarb (np. w pralce). Skarbem jest paczka, a w niej jakieś słodkie drobiazgi. Naprawdę wspaniała zabawa!

★ RYSOWANIE

Twój przedszkolak umie już narysować postać podobną do człowieka. Radzi sobie też z komponowaniem obrazka – obok zamku jest królewna i król lub widać grających piłkarzy. Domy stają się przejrzyste, więc widać, co jest wewnątrz. Dziecko stopniowo wyrabia swój własny styl. Zaczynają przejawiać się indywidualne zdolności i zainteresowania. Maluch rysuje „na temat" i próbuje robić to tak, żeby inni zrozumieli treść obrazka.

W PODRÓŻY I U LEKARZA

Każdy rodzic wie, że poczekalnia u lekarza lub w urzędzie to najnudniejsze miejsce pod słońcem. Nie musi tak jednak być. Tam także można się przecież bawić.

Jadąc autobusem, nie zachowuj się jak wielu rodziców, którzy wyglądają, jakby jechali z cudzym i do tego nie bardzo lubianym dzieckiem. Spróbuj pobawić się na przykład w:

★ CO ROBIĄ CI LUDZIE?

Wykorzystaj spędzany bezczynnie czas na dokładne wytłumaczenie, co i dlaczego robią otaczający Was ludzie. Opowiedz, dlaczego dzieci przychodzą do lekarza, co im może dolegać. Po pierwsze, dostarczysz dziecku wielu nowych wiadomości, a po drugie, możesz w ten sposób zminimalizować lęk przed wizytą. Postaraj się więc uniknąć straszenia malucha.

★ CO BY BYŁO, GDYBY...

W tę świetną zabawę, pobudzając wyobraźnię dziecka, można się bawić zawsze i wszędzie. Nie wymaga żadnych akcesoriów. Pozwala odciągnąć uwagę dziecka od nie zawsze miłej rzeczywistości. Zapytaj, co by było, gdyby... Twoje dziecko zmieniło się w motylka? złota rybka mogła spełnić jego trzy życzenia? Itp., itd.

Liczba i treść pytań zależy wyłącznie od Twojej pomysłowości. Nie zrażaj się, gdy bawisz się w tę grę z małym dzieckiem. Czasem trzeba troszkę podpowiedzieć, naprowadzić.

★ ZGADNIJ, CO MAM NA MYŚLI...

Pomyśl o jakimś przedmiocie, a dziecko ma za zadanie odgadnąć, co to takiego jest. Zabawę staraj się zawsze dostosować do możliwości intelektualnych dziecka. Dla trzylatka wybierz jeden z przedmiotów znajdujących się w najbliższym otoczeniu. Starszy przedszkolak chętniej pobawi się w klasyczne dziesięć pytań. Jeśli dziesięć nie wystarcza, można zacząć od dwudziestu, a z chwilą, gdy dziecko bez problemów będzie zgadywało szybciej, zawsze możesz utrudnić zgadywankę.

Dziecko nie powinno mieć wrażenia, że je odpytujesz. Dobrze jest, gdy zgadujecie na zmianę – raz ono, raz Ty.

★ CO TAM NA OBRAZKU?

Zazwyczaj w przychodni czy urzędzie wiszą plansze z poradami, jak zdrowo jeść, jak dbać o oczy lub kręgosłup. Bywają też ulotki reklamujące soki albo leki. Warto razem przestudiować ich treść, oczywiście dostosowując je do poziomu dziecka. Może to być długo pamiętana lekcja – na przykład, żeby jeść dużo warzyw i owoców albo czytać tylko przy jasnym świetle. Czasem fajnie jest nieco poszaleć i wymyślić plakat o tym, dlaczego najzdrowsza na świecie jest czekolada albo lody...

★ Z CZEGO SIĘ SKŁADA...

Wymień jakąś rzecz, która składa się z wielu mniejszych części, np. samochód lub na początek rower. Dziecko ma wyliczyć jak najwięcej tych elementów: kierownica, klamka, okno, dach, silnik, zderzak, lusterka itd.

★ KTO PIERWSZY...

To znakomita zabawa na podróż pociągiem lub tramwajem. Kto pierwszy: zobaczy kosz do śmieci! Panią w okularach! Czerwony samochód (przez okno)! Właściwie można pytać o prawie wszystko, a zabawa odgoni nudę na dłuższy czas.

★ RYSOWANIE POTWORKA

Rysowanie i bazgrolenie to także jedna z ulubionych zabaw każdego przedszkolaka. Na górze dość długiej kartki narysuj głowę smoka. Ważne, żeby dziecko jej nie widziało! Potem zagnij kartkę tak, żeby widoczny był tylko kawałek szyi. Teraz dziecko ma dorysować resztę stwora. Gdy narysuje – rozwińcie całość i obejrzyjcie Wasze wspólne dzieło. Rysujcie głowy na zmianę – maluch będzie miał dużą satysfakcję, że to właśnie on zaczyna.

★ W LABIRYNCIE

Na poczekaniu możesz narysować labirynt, przez który musi przejść np. piesek, żeby dostać kość, albo kotek do mleczka. Ważne, żeby kreski labiryntu były wyraźne, a stopień trudności dostosowany do wieku dziecka.

★ ORIGAMI

Złożenie papierowego kapelusza lub popularnego „piekła i nieba" wymaga sporej zręczności. Starsze dzieci zrobią je same, a maluch chętnie będzie obserwować Twoje, nawet nieudolne, próby, a potem bawić się papierowymi zabawkami.

★ ŁAMIGŁÓWKI

Jeśli przewidujesz dłuższe czekanie, warto zaopatrzyć się w książeczki albo pisemka z łamigłówkami dla dzieci. Możesz też sam narysować łamigłówkę, na przykład proste rysunki do znajdowania różnic.

WIOSNA, LATO, JESIEŃ, ZIMA

Zabawa w domu, na placu zabaw czy na własnym przydomowym podwórku zmienia się wraz z upływem czasu, a także wraz ze zmieniającymi się porami roku.

WIOSNA

Wiosną wszystko jest świeże, pachnące, ledwo co przebudzone z zimowego letargu. Jest to więc wspaniała okazja do spacerów (w języku ojca WYPRAW) i poznawania świata. Poszukiwanie zmian zachodzących po odejściu zimy, włażenie w kałuże, remontowanie działkowego domku, szykowanie roślin do posadzenia w ogrodzie, sianie i wycinanie nożyczkami trawy. Wszystko cieszy, byle z tatą.

★ ZAKŁADANIE DOMOWEJ SZKLARNI

Możesz użyć do tego plastikowego pojemnika i dużego słoja lub grubszej przezroczystej folii. Do pojemnika wsypcie ziemię (najlepiej z kwiaciarni albo po starym kwiatku doniczkowym), posadźcie w niej nasiona. Mogą to być na przykład zioła przyprawowe. Całość przykryjcie folią, robiąc w niej kilkanaście otworów widelcem. Oczywiście trzeba o rośliny dbać i podlewać.

★ ZAKŁADANIE TERRARIUM DLA PAJĄKÓW (TO UDAJE SIĘ TYLKO Z TATĄ)

Do tego przyda się pusty słój (z nakrętką), do którego wpuścisz uprzednio złapane pająki. Możecie je karmić, np. małymi muszkami, pamiętając o małych otworkach w wieczku. Nigdy jednak nie znęcajcie się nad owadami i po jakimś czasie wypuśćcie je. Możliwie daleko od miejsca, gdzie lubi przebywać mama.

LATO

Lato to wszystko poza domem, czyli park, plaża i działka. Dużo swobody i radości na świeżym powietrzu. Ale latem też czasem pada. Trzeba wówczas coś wymyślić, żeby nie popadać w rutynę i nie sadzać codziennie dziecka przed telewizorem. A może by tak:

★ MALOWANE KAMYKI

Ty zbierasz z dzieckiem kamyki, a potem chwilka wolnego, bo resztę robią same dzieciaki. Ewentualnie z mamą lub babcią. Wymyj kamienie mydłem i wodą. Wytrzyj i pozwól im wyschnąć. Rozłóż na stole stare gazety, aby go nie pobrudzić farbami. I malujcie, malujcie, malujcie.

Poniższe propozycje są dość oczywiste i nie wymagają chyba dodatkowych opisów. Pamiętaj jednak, że zawsze ma to być zabawa bezpieczna i niewymuszona.

★ NAUKA JAZDY NA ROWERZE

★ NAUKA PLUCIA NA ODLEGŁOŚĆ

★ LATAWCE

★ TURLANIE SIĘ PO TRAWIE

koniecznie!!!

JESIEŃ

Zabawy jesienne to już, niestety, przede wszystkim zabawy domowe, chyba że wspólnie uwielbiamy spacery w deszczu po kałużach. Jesień to oczywiście liście, kasztany, żołędzie i jarzębina. To ogromne pole do popisu dla ojców z „wizją plastyczną".

★ KASZTANIAKI

To po prostu tradycyjne ludziki z kasztanów czy żołędzi. Najpierw oczywiście trzeba te kasztany zebrać i przytargać do domu, a potem już tylko naostrzyć zapałki lub odnaleźć wykałaczki, i do zabawy.

★ ZBIERANIE LIŚCI W PARKU NA BUKIET DLA MAMY

★ PUSZCZANIE ŁÓDECZEK

Mogą być papierowe czy nawet wyobrażone sobie z kawałka patyka. Puszczamy je na wodę w kałuży. Jeśli z dodatkowego patyczka i skrawka papieru zrobisz żagiel – zabawa zamieni się w regaty żaglowców. A przy użyciu małych kamyków w bitwę morską.

★ JESIENNA RODZINKA

Porozmawiaj z dzieckiem o Waszej rodzinie, kto jest większy, kto mniejszy, kto wesoły, a kto zapracowany. Wybierzcie liście, które najlepiej do Waszej rodzinki pasują, i do dzieła. Ta praca daje okazję zobaczenia rodziców oczami dziecka, poznania relacji dziecko – rodzic, dobrych i złych stron życia rodzinnego. Może dzięki rozmowie i pracy coś w sobie zmienicie na lepsze albo wpadniecie w samozachwyt?

★ LAMPION Z DYNI

To idealna zabawa dla taty i dziecka. Tu, rzecz jasna, potrzeba noża, by wyciąć w dyni otworki. A mama przecież na widok noża... no cóż... każdy z Was słyszy to zapewne uszami wyobraźni. Obcinamy górną część dyni. Wydrążamy środek. Malujemy oczy, nos i usta i wycinamy w tych miejscach otwory. Do środka wkładamy świeczkę i lampion gotowy.

ZIMA

★PRZEDE WSZYSTKIM – SANKI!

Wystarczy już niewielka górka nieopodal domu. Ale prawdziwą frajdę sprawicie dziecku, wybierając się na bardziej stromą górkę. Oczywiście będzie to też doskonała zabawa dla taty, bo emocje mogą być niemałe i dla niego. Ważne, by górka była bezpiecznie położona i żeby ktoś dorosły zjeżdżał razem z dzieckiem i kierował sankami, przynajmniej dopóki nie będziesz pewien, że szkrab potrafi hamować i skręcać.

★BAŁWAN

Jest najczęściej lepioną postacią ze śniegu. A może dziecko wymyśli jeszcze coś innego? Pozwólmy, by dziecko samo decydowało. Można wykorzystać foremki z piaskownicy, łopatki, grabki, wiaderka. Podobnie jak na piachu, także i na śniegu można rysować, budować zamki, tunele, robić podkopy. Dzieci bardzo lubią robić „orzełki" lub „aniołki" na śniegu. Tę zabawę polecam na koniec, ponieważ w mokrym ubranku łatwo się przeziębić.

★ BITWA NA ŚNIEŻKI

Wcześniej naszykujmy tzw. bazy (wystarczą kupki śniegu, za którymi można się schronić), zróbmy amunicję i wygrywa ta osoba, która więcej razy trafi w przeciwnika. Im więcej osób bierze udział, tym lepsza zabawa. Należy jednak zadbać o bezpieczeństwo, dlatego ustalmy, że można trafiać tylko w nogi i z pewnej odległości.

★ RZUCANIE DO CELU

Celem może być tarcza zawieszona na płocie czy drzewie. Rzucanie w sam środek może sprawić także wiele radości. Można celować do stojącego wiadra. Wygrywa osoba, która trafi najwięcej razy.

★KRĘGLE NA ŚNIEGU

Ustawmy plastikowe butelki na śniegu i liczmy, kto więcej ich „zbije". Pamiętajmy jednak, by na koniec zabawy wyrzucić do kosza butelki. Przy okazji uczymy dziecko po sobie sprzątać i pozostawiać miejsce zabawy takim, jakie je zastało.

★ ZAPRZĘGI KONI

Nie znam dzieci, które nie lubią być ciągnięte na sankach. W tej zabawie także im więcej zaprzęgów, tym lepsza zabawa i więcej śmiechu, dlatego warto zachęcić do zabawy znajome dzieci (to proste) i ich rodziców (tu może być gorzej). Zadbajmy też o bezpieczeństwo, by dzieci nie zrobiły sobie krzywdy, spadając z sanek.

★ ŁYŻWY LUB NARTY

Już z kilkuletnim dzieckiem możecie też stawiać pierwsze kroki na lodowisku lub stoku. W każdym większym mieście jest sztuczne lodowisko i górki, na których maluchy mogą próbować swych sił!

Wasz wspólny zimowy wypad może być równie emocjonujący bez żadnych przygotowań czy sportowych planów.

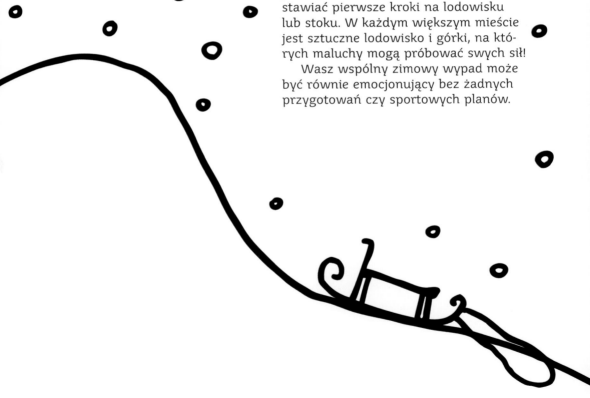

★ TROPIENIE ŚLADÓW

Możecie na przykład wybrać się do lasu lub w parku odnaleźć ślady psich łap. Czy to był wilczur, czy ratlerek? Czy przebiegł tu przed chwilą, czy trop jest zatarty, być może z poprzedniego dnia? Jakie ślady zostawia wróbelek, a jakie wrona? A wiewiórka? A jakie ludzie? Czy można po nich poznać, kto tędy szedł – kobieta czy mężczyzna, dziewczynka czy chłopiec, a może stary człowiek z laską? Czy ten ktoś stawiał pewne kroki, szedł szybko czy powoli?

★ SPACER

Niby zwyczajna rzecz, ale to przecież wyśmienita okazja na przykład do obserwowania ptaków. Choćby tych, które przylatują do nas tylko na zimę. Poszukajcie wcześniej obrazków czy zdjęć i spróbujcie znaleźć sikorkę, gila, jemiołuszkę czy choćby gawrona. Przed wyjściem z domu możecie obejrzeć atlas ptaków! Dobrze jest zabrać ze sobą kulki z ziaren (do kupienia w sklepach zoologicznych) albo kawałki słoniny i porozwieszać je na gałązkach drzew. Wystarczy też torba z pokruszonym starym pieczywem. Nakarmcie nim napotkane ptaki.

Zabaw dla dzieci jest tyle, ile tylko podpowie Wam wyobraźnia. Nie ma sensu wypisywać tu najlepszych, najbardziej sprawdzonych. Źródeł jest tak wiele, że weź tylko czerpak i gotowe. Co jest jednak najważniejsze – przede wszystkim chciałam Ci, tatusiu, bardzo wyraźnie pokazać, że z dzieckiem warto się bawić, wręcz trzeba się bawić, a powodów po temu jest cała masa.

Pamiętajcie więc, ojcowie młodzi i starsi, tacy jednodzietni i ci dysponujący prawie domową drużyną siatkówki: dziecko jest jak bank szwajcarski, ile włożysz, tyle wyjmiesz, plus procent. Inwestujcie więc w swoje dzieci. W ich rozwój, szczęście i radość. Pokazujcie im świat wesoły, a zarazem w miarę bezpieczny. Uczcie samodzielności w podejmowaniu decyzji i żeby najzwyczajniej w świecie potrafiły o siebie zadbać. Pamiętajcie, zabawa zbliża Was do siebie i na dłuuuugo pozostaje we wspomnieniach.

Waszych i Waszych dzieci.

Zadania do wykonania

- ☑ POCZĄWSZY OD ZARAZ, WPROWADŹ ZASADĘ, ŻE JEDNO POPOŁUDNIE W TYGODNIU PRZEZNACZASZ NA ZABAWĘ Z DZIECKIEM.

- ☑ W ZALEŻNOŚCI OD PORY ROKU ZAPROŚ DZIECKO DO CHARAKTERYSTYCZNEJ DLA DANEGO OKRESU ZABAWY.

- ☑ POROZMAWIAJ Z PARTNERKĄ I USTALCIE, CZY WASZE SPOSTRZEŻENIA NA TEMAT ULUBIONYCH ZABAW WASZEGO SKARBA SĄ PODOBNE.

- ☑ NAUCZ MAMĘ TWOJEGO DZIECKA JAKICHŚ ZABAW ZE SWOJEGO REPERTUARU I PODPYTAJ O TE, KTÓRYMI ONA „CZARUJE" DZIECKO.

- ☑ MOŻE POWINIENEŚ POMYŚLEĆ O TAKIM PRZEMEBLOWANIU POKOJU DZIECKA, ABY BYŁ TAM „PLAC ZABAW". NAWET MINIATUROWY?

★ Poznaj swoją tajną broń
★ Konsekwencja i spokój
★ Jasno i na temat
★ Ostrożnie, ale bez przesady

★ Pomysły i zabawy

TATA czasem
umie lepiej

JAKI JESTEŚ, WSPÓŁCZESNY TATO?
CZY MASZ CZAS NIM BYĆ?
CZY W OGÓLE O TO ZABIEGASZ?
CZY WIESZ, CO MOŻESZ ZYSKAĆ, A CO STRĄCIĆ?
CZĘSTO ZAPRACOWANY DO GRANIC WYTRZYMAŁOŚCI,
UWAŻASZ SIĘ ZA NIEZASTĄPIONEGO W FIRMIE.
JESTEŚ CAŁKOWICIE POCHŁONIĘTY SPRAWAMI
ZAWODOWYMI I DOPIERO PODCZAS WEEKENDU
PRÓBUJESZ SIĘ ODNALEŹĆ W ROLI OJCA. NAWET JEŚLI
NIE OD RAZU WSZYSTKO CI SIĘ UDAJE.
NIC W TYM DZIWNEGO, ALE TYM WIĘKSZA PÓŹNIEJ
★SATYSFAKCJA★.

Właśnie Ty masz szansę dać dziecku to, co mamie czasem wychodzi gorzej – dodatkowy impuls do rozwoju. Oczywiście nie oznacza to, że mamy nie wpływają we właściwy sposób na rozwój swoich dzieci. Matka uczy równie skutecznie, używa jednak bardziej tradycyjnych i zachowawczych metod: korzysta z książek, konsultuje się z innymi mamami, wspólnie się zastanawiają, co w danej sytuacji robić. Ty działasz.

Dziwisz się? Niesłusznie. To wszystko prawda.

Nie jesteś wszak nadopiekuńczy i lękliwy. To Ty uczysz syna czy córkę wyjątkowych umiejętności i pomagasz im stawiać kolejne kroki ku samodzielności i dorosłości.

To właśnie Ty, niezależnie od wieku swojego dziecka, możesz stać się „mistrzem gry" – nauczycielem i przewodnikiem.

Nie, drogi tato. Wcale Cię nie podpuszczam i nie stosuję taniej socjotechniki. Naprawdę jest wiele elementów wychowania, dbania i opiekowania się, z którymi z różnych powodów najzwyczajniej w świecie radzisz sobie lepiej niż Twoja partnerka. Bywasz wręcz zaskoczony, jakie to proste.

Proces stawania się supertatą to przechodzenie od etapu do etapu. Jak w wyścigu, choć to, co robisz, wyścigiem przecież nie jest. Podobieństwo polega na tym, że aby osiągnąć sukces, czyli metę, trzeba te wszystkie etapy pokonać. Nie omijając żadnego z nich. Konsekwentnie dążyć do wytyczonego celu.

Takie podejście do wychowywania to Twoja tajna broń.

ETAPY STAWANIA SIĘ SUPERTATĄ

★ ETAP PIERWSZY
DUMA

Wy, mężczyźni, jesteście na ogół mniej skłonni do uzewnętrzniania uczuć i chwalenia dziecka. Zwykle też trudniej Was namówić na opowieści o jego osiągnięciach.

Jednak gdzieś tam głęboko w sercu i duszy na pewno rozpiera Was ojcowska duma.

Nawet jeśli tego nie mówicie, potraficie okazać zadowolenie czy satysfakcję gestem, uśmiechem, błyskiem w oku.

Każde dziecko wie, że uznanie taty ma wyjątkową moc. Jest takie inne od bezwarunkowego maminego uwielbienia. Twoje dziecko też to czuje. Przede wszystkim dlatego, że na ów zachwyt trzeba zapracować, ale warto.

★ ETAP DRUGI
ROZMOWA

Aby poznać dziecko i naprawdę dowiedzieć się, o co maluch prosi, musisz zapytać. Po prostu, bo tego nie wiesz, nie rozumiesz i nie domyślasz się.
To przecież jasne. Twoja partnerka wie (czasem jej się tylko wydaje), kiedy dziecko jest głodne, senne, zmarznięte czy zmęczone. Z reguły szybciej orientuje się, czego mu potrzeba, nie tylko dlatego, że uważniej je obserwuje. Ona wyczuwa jego potrzeby intuicyjnie. Stąd nie pyta, tylko ufa przeczuciu. Ty wbrew pozorom dzięki mniejszej znajomości psychiki dziecka możesz osiągnąć zaskakująco dobre efekty komunikacyjne. Zamiast zachodzić w głowę, o co malcowi chodzi, po prostu pytasz albo w inny sposób starasz się z nim porozumieć. Mobilizujesz więc dziecko, by zaczęło z Tobą „rozmawiać". Musi Ci pokazać, a z wiekiem powiedzieć, o co mu chodzi. Pojawia się rozmowa i dla tej rozmowy warto to robić.

★ ETAP TRZECI
ODKRYWANIE

Dziecko, które spędza z mamą większość swojego czasu, wie, jak wygląda jego dzień. Plan dnia, dający mu poczucie bezpieczeństwa i stabilizacji, ulega z reguły kompletnemu rozbiciu, gdy na horyzoncie zjawiasz się Ty.

Wraz z Tobą pojawia się całe mnóstwo niespodzianek. Zostawiony sam na sam z potomkiem na ogół chcesz zrobić coś konkretnego, wymiernego. Uznajesz przy tym, że dziecko może Ci w tym towarzyszyć. Przecież jest już duże. Wtedy razem oglądacie mecz, reperujecie lampy czy dłubiecie przy samochodzie. Chętnie pójdziecie na basen albo choćby na spacer w nosidełku. Bywa, że robicie coś zwariowanego i absolutnie niezaplanowanego.

Dzięki Tobie dziecko nauczy się „pluć, łapać i nawijać". Pokażesz mu, że nie ma co się bać „potwora spod łóżka".

Przełamywanie rutyny czasem jest potrzebne. Daje dziecku oprócz całej masy wspaniałych niezapomnianych wrażeń, również chęć powrotu do stałego rytmu dnia w objęciach mamy.

★ETAP CZWARTY
SAMODZIELNOŚĆ

Kiedy ma się mniej obaw i lęków, a wyobraźnia nie podpowiada kataklizmów i nieszczęść, wszystko idzie łatwiej i sprawniej. Ty, dzielny tata, jesteś w porównaniu z mamą nieco inaczej emocjonalnie związany z dzieckiem, nie przeżywasz tak mocno dziecięcych emocji. Masz mniejsze skłonności do panikowania z powodu najmniejszych dziecięcych dolegliwości. Oczywiście, nie robisz tego z lekceważenia ani chęci utrzymywania dystansu. To po prostu naturalna różnica między rodzicami, kobietą a mężczyzną, między mamą a tatą.

Ty, ojcze, częściej zachowujesz spokój. Potrafisz przeanalizować i trafnie ocenić sytuację. Przede wszystkim zapanować nad nią i znaleźć rozwiązanie.

Gdy sam zajmujesz się dzieckiem, dzieje się tak samo. Nie próbujesz we wszystkim go wyręczać, nie przeżywasz tego, że maluchowi nie smakuje zupka, że protestuje podczas ubierania, potrafisz więcej wymagać i... rzadziej zmieniasz zdanie pod wpływem emocji.

Uczysz potomka samodzielności oraz podejmowania decyzji.

★ ETAP PIĄTY
WSPARCIE I MOTYWOWANIE

Kiedy Twoje dziecko jest z Tobą, najczęściej spokojnie jedzie w wózku, a może nawet przez chwilę pozwala prowadzić się za rękę. W domu zaś chętnie oddala się, raczkując, zamiast siedzieć wtulone bliziutko w zasięgu pulchnych rączek. Czuje, że może śmiało stawiać coraz pewniejsze kroki – także w dosłownym znaczeniu tych słów. Przy mamie bywa, że chodzenie jest niestabilne. Dziecko się bardziej boi, marudzi i domaga się noszenia na rękach. Znacznie częściej płacze.

Ty umiejętnie wspierasz swoje dziecko i motywujesz je do działania.

OJCIEC MA LEPIEJ

Ty, tatku, jesteś w zdecydowanie lepszej sytuacji niż Twoja połowica. Z Tobą dziecko chętniej się bawi, jeśli tylko mu na to pozwalasz. Nie boisz się tak bardzo jak jego mama. Masz zwariowane pomysły. Masz lepiej... jesteś „guru".

W zabawie pozwalasz maluchowi na więcej samodzielności, sprzyjając jego ciekawości i potrzebie eksperymentowania. Jeśli dziecko dużo czasu spędza z Tobą, to ma szanse, by w przyszłości być bardziej ufne we własne siły i niezależne.

Bawiąc się z dzieckiem, jesteś skłonny do żartów, wygłupów, rozrabiania. Nie pozwalasz jednak zapomnieć dziecku, że są granice nieprzekraczalne.

Nie obrażasz się, nie dąsasz, ale reagujesz, gdy zabawa komuś zagraża lub jest nie fair. Jesteś mniej „upierdliwy". Rzadziej pouczasz i prawisz morały, zamiast tego pozwalasz dziecku uczyć się na własnych błędach. Każdy przecież wie, że „jak się nie wywrócis, to się nie naucys".

Na placu zabaw przy Tobie łatwiej jest się zranić w kolano, ale i poznać smak uczciwej rywalizacji czy sztuki przegrywania. Ty nigdy nie dasz forów i nie zmienisz zasad, by dla świętego spokoju wygrało dziecko.

Wreszcie odmówisz dalszej zabawy, gdy odkryjesz, że malec oszukuje.

Pamiętaj, że zawsze możesz jednak sięgnąć po mamine metody. Ba, nawet powinieneś. Bo nie ma w tym nic złego, gdy przeczytasz książeczkę przed snem lub pozwolisz kilkulatkowi popłakać nad zgubionym samochodzikiem.

Dobrze, gdy malec, z którego w przyszłości ma przecież wyrosnąć doskona-

ły tata, pomoże Ci przy wypiekaniu ciasteczek i będzie asystentem przy kąpieli swojej młodszej siostry. Równie dobrze, gdy przyszłej mamie pozwolisz pomajsterkować czy asystować przy naprawie samochodu. Dzięki temu, w przyszłości, Twoje dzieci nie będą miały problemu z tradycyjnym podziałem ról.

Dzieci do szczęścia najbardziej potrzebują uwagi dorosłych. Jeśli umiesz wysłuchać, znajdujesz czas na grę w piłkę i wspólny spacer, wówczas dziecięce serce wyraźnie podpowiada dziecku, że jesteś dla niego ważny i kochany.

Więź emocjonalna, budowana w codziennych bliskich kontaktach, owocuje zdaniem psychologów lepszym przystosowaniem społecznym, dobrymi relacjami z rówieśnikami, chęcią współzawodnictwa i większą aktywnością.

Jeśli mama przybije gwóźdź, a potem „poboksuje z chłopakami", natomiast Ty dla urozmaicenia ugotujesz obiad i przytulisz malca, który spadł z roweru, nikomu korona z głowy nie spadnie. Za to dzieci upewnią się, że mogą być szczęśliwe zarówno z obojgiem rodziców, jak i z każdym z osobna.

Zadania do wykonania

- ☐ STREŚĆ PARTNERCE NINIEJSZY ROZDZIAŁ, A JEŚLI NIE ZROZUMIE TWYCH INTENCJI, DAJ JEJ GO DO PRZECZYTANIA. POTEM POROZMAWIAJCIE.

- ☐ JEŚLI TWÓJ SZEF CHCE OBARCZYĆ CIĘ DODATKOWYMI OBOWIĄZKAMI, A TY NIE WIESZ, JAK MU W SPOSÓB DYPLOMATYCZNY ODMÓWIĆ, UŻYJ ARGUMENTÓW Z TEGO ROZDZIAŁU.

- ☐ ZASTANÓW SIĘ, CZY TWOJE DOŚWIADCZENIA POKRYWAJĄ SIĘ Z TREŚCIĄ ROZDZIAŁU. JEŻELI TAK JEST, TO GRATULUJĘ, A GDYBY JEDNAK NIE, TO POMYŚL, CZY NIE POWINIENEŚ WIĘCEJ CZASU SPĘDZAĆ Z DZIECKIEM, ABY DAĆ MU SZANSĘ NA POZNANIE TATOWYCH METOD WYCHOWAWCZYCH.

★EWOLUCJA RELACJI Z DZIECKIEM
★NASI OJCOWIE (WZÓR I ANTYWZÓR)

♡TATO JESTEŚ SUPER!

KTÓRY Z OJCÓW NIE CHCIAŁBY, ABY JEGO DZIECKO TAK O NIM MÓWIŁO I MYŚLAŁO?

TY I TWOJA PARTNERKA JESTEŚCIE NAJBLIŻSZYMI MU OSOBAMI. NIE TYLKO DLATEGO, ŻE W SENSIE CZYSTO BIOLOGICZNYM STWORZYLIŚCIE JEGO ŻYCIE, LECZ PRZEDE WSZYSTKIM DLATEGO, ŻE CHCECIE POPRZEZ WYCHOWANIE WZIĄĆ NA SIEBIE ODPOWIEDZIALNOŚĆ ZA ROZWÓJ I W DUŻYM STOPNIU ZA PRZYSZŁE ŻYCIE WASZEGO POTOMKA. ZALEŻY CI PRZECIEŻ NA TYM, ABY TEN MALEC WYRÓSŁ NA PORZĄDNEGO I WARTOŚCIOWEGO CZŁOWIEKA.

Wszyscy mamy skłonność do powielania zachowań oraz sposobów reagowania swoich rodziców. Ty – swojego ojca. Twoje dziecko czerpie mniej lub bardziej świadomie wzór z Ciebie i swojej mamy. Rosnąc, obserwuje i pilnie studiuje każdy Twój gest, wszystko, co robisz. Fascynuje go wszystko: sposób, w jaki mówisz, chodzisz, bawisz się. Patrząc na rodziców, buduje wzory swych późniejszych zachowań, na obraz i podobieństwo prezentowane przez Was.

Niestety, malutki podpatrywacz nie rozróżnia jeszcze (dopóki go tego nie nauczycie) wzorców pozytywnych od negatywnych. Powtarza wszystko bez chwili zastanowienia i bez refleksji. Czeka Cię, więc, drogi tato, skomplikowany proces tłumaczenia, co jest „cacy", a co „be".

OD CZEGO ZALEŻY JAKOŚĆ RELACJI Z DZIECKIEM

Poniżej przekażę Ci kilka podstawowych zasad. Ta lektura wsączy w Ciebie nieco wiedzy o Twojej ojcowskiej roli, co – jak mniemam – pozwoli na lepsze jej odegranie.

Zarysuję teraz kilka elementów składających się na Twoje relacje z dzieckiem. Pokażę, gdzie powielasz wzorzec wyniesiony z domu, a gdzie pozostawiono Ci pole manewru i możesz cokolwiek zmienić.

★ WŁASNY OJCIEC

Wielu mężczyzn czuje się niepewnie w roli ojca. Oczywiście, że chcesz jak najlepiej wychować swoje dziecko, ale nie do końca wiesz, jak się do tego zabrać. Spróbuj wrócić pamięcią do obrazów ze swojego dzieciństwa – to z reguły bardzo pomaga.

Masz wtedy dwie możliwości. Albo będziesz taki jak twój ojciec, albo wręcz przeciwnie.

Jeśli właśnie oczekujesz narodzin swojego dziecka lub być może zostałeś już ojcem, to choćbyś chciał, nie uciekniesz przed lekcją swojej własnej historii. Piszę „choćbyś chciał", bo nie zawsze, niestety, te wspomnienia bywają miłe...

NA POCZĄTEK POSTARAJ SIĘ ODPOWIEDZIEĆ SAMEMU SOBIE NA KILKA PYTAŃ:

★ JAKI BYŁ (JEST) MÓJ TATA?

★ JAK TRAKTOWAŁ MNIE, GDY BYŁEM MALUTKIM CHŁOPCEM, A JAK – GDY BYŁEM NASTOLATKIEM?

★ JAKIE BYŁY/SĄ JEGO RELACJE Z MAMĄ?

★ JAKIE MAM RELACJE Z MAMĄ?

★ JAKIE MAM Z TATĄ RELACJE DZIŚ?

Ważne jest, abyś na te pytania odpowiedział sobie szczerze. Wyciągnięte wnioski pomogą Ci bowiem nakreślić obraz – wzorzec ojca, jaki Ty sam wyniosłeś z rodzinnego domu. Powiedzą też sporo o Tobie jako mężczyźnie.

Każdy tata nosi w sobie obraz swego ojca. Czasami jest on całkowicie oparty na rzeczywistości, często jednak nieco wyidealizowany, a bywa, że karykaturalny.

Zastanów się, o jakim ojcu marzy dziecko, nie tylko małe, ale także nastoletnie, dorastające? Nietrudno dojść do przekonania, że o tatusiu mądrym, silnym, odważnym. Musisz pamiętać, że to naturalne, iż czerpiąc wzorzec ze swojego ojca, bardzo często nie będziesz potrafił postępować we własnym życiu inaczej niż on. Nie ma wielkiego znaczenia, czy jako małemu chłopcu, a potem młodzieńcowi podobało Ci się jego postępowanie, czy nie do końca. Niezmiernie trudno jest pokonać w sobie schematy zachowań utrwalone przez lata dzieciństwa i dorastania.

Przypuśćmy, że Twój ojciec jest typem zamkniętego w sobie, niedostępnego, niemającego z reguły czasu dla Ciebie człowieka. Jest możliwe, że będziesz reprezentował podobną postawę w stosunku do własnych dzieci. Łatwo będą przychodziły Ci do głowy wymówki w rodzaju: „mam ważniejsze sprawy", „mam dużo pracy", „niech mama się Tobą zajmie".

Skutkiem takiego zachowania będzie stopniowy zanik, a następnie brak prawdziwego kontaktu z dzieckiem. Gdy pojawią się pierwsze dziecięce problemy, syn czy córka nie przyjdą z nimi do Ciebie. Dziecko przecież potrzebuje autorytetu i oparcia, a jeżeli nie znajdzie go w Tobie, będzie go szukało gdzie indziej, co niekoniecznie może przynieść pożądane efekty.

Wraz z wejściem Twojego dziecka w okres dojrzewania coraz trudniej będzie Ci nadrobić czas stracony we wcześniejszych latach. Możesz nagle boleśnie doświadczyć swej bezsilności i niemocy. Przekonać się ni stąd, ni zowąd, że straciłeś swoją szansę na więź z dzieckiem, że już nie możesz znaleźć z nim wspólnego języka. W końcu, że go właściwie nie znasz. Mało tego, zorientujesz się, że ono nie zna Ciebie. Bo niby kiedy mieliście się poznać?

Masz wyrzuty sumienia i nie możesz sobie tego wybaczyć. Przecież gdybyś nawiązał kontakt z dzieckiem wcześniej, rozmawiał z nim, poświęcał mu czas, zapewne stałbyś się dla niego kimś ważnym. Kimś, komu można powierzyć sekret czy w potrzebie poprosić o radę.

Nie obwiniaj się jednak bez sensu. To nie tylko Twoja wina. Część odpowiedzialności spoczywa na Twoim tacie i, kto wie, być może na dziadku. Jednak ponieważ nie miałeś odpowiedniego wzoru, nie potrafiłeś tego odwrócić. Bezustanne obarczanie się winą za niedostatecznie bliskie relacje z dzieckiem może w Tobie zrodzić frustrację, agresję czy smutek, a uczucia te jeszcze bardziej oddalą Cię od bliskich.

Nie jest łatwo, ale przecież nie jesteś własnym ojcem. Wszystko jeszcze możesz zmienić, potrafisz nauczyć się nie być takim jak on. Jeśli nie był dla Ciebie tak wymarzony i wspaniały, jak być powinien. Ty możesz być wspaniałym ojcem swoich dzieci. Naprawdę potrafisz to zrobić.

★ CZAS POŚWIĘCONY

Bez jakichkolwiek wątpliwości można stwierdzić i starałam się to wykazać także w tej książce, że podstawą dla zbudowania bliskiej i szczerej więzi między Tobą a dziećmi jest czas, który wspólnie spędzacie.

Jeśli jesteś wciąż zapracowany, robisz karierę zawodową i jesteś „wielkim nieobecnym" lub po prostu jesteś tak zmęczony po pracy, że nie masz ochoty na zajmowanie się synem czy córką, nie licz, proszę, na podziw w ich oczach. One chcą być ze swoim tatą. Zagrać z nim w piłkę, zrobić coś razem. Jakąś prostą i zwyczajną pracę. Chcą choćby opowiedzieć o swoich kłopotach. Nie są specjalnie zainteresowane lub może nie rozumieją, dlaczego nie mogą tego zrobić. One chcą mieć swojego tatę i już.

Ojciec powinien być kimś obecnym i dostępnym. Jeśli oddajesz się jedynie karierze zawodowej, nie jesteś w stanie „udostępnić" siebie własnym dzieciom. Po prostu zawsze jesteś albo w pracy, albo intensywnie pracujesz w domu, bo nie potrafisz zostawić ani pracy w biurze, ani problemów zawodowych „na wycieraczce".

Relacje pomiędzy Tobą a dzieckiem nigdy nie będą prawidłowe, jeżeli nie znajdziesz czasu dla swojej pociechy. Dziecko musi wiedzieć, że w razie problemów zawsze może się zwrócić do Ciebie. A Twoim obowiązkiem jest mieć dla niego czas, by chwilę porozmawiać, wysłuchać i doradzić. By po prostu razem się pobawić. Nie oznacza to oczywiście, że musisz zrezygnować z kariery zawodowej. Jedno drugiemu nie przeszkadza. Udzielenie wsparcia własnemu dziecku nie trwa przecież aż tyle czasu.

★ ZAUFANIE

Dla dzieci tatuś to człowiek, któremu powinno się móc zaufać, tę ufność zbudujesz jedynie przez aktywne przebywanie i uczestniczenie w życiu dziecka od najwcześniejszych lat. Godny zaufania tata wykazuje autentyczne zainteresowanie dziecięcymi kłopotami i radościami.

Powinno więc obchodzić Cię, co Twoja córka czy syn robią, czym się interesują. To się nie dzieje z nadania. Ufność rodzi się poprzez wielokrotne doświadczanie, że jesteś niezawodny, szczery i stanowisz swego rodzaju opokę. Na tej właśnie podstawie Twoje dziecko zbuduje w sobie Twój obraz jako taty, na którym można zawsze polegać. Ostoi domowego bezpieczeństwa i spokoju. Zaufanie jednak łatwo można stracić przez niedotrzymywanie obietnic.

Bardzo ważną rzeczą, jeśli nawet nie najważniejszą, jest to, żeby dziecko w równym stopniu mogło liczyć na oboje rodziców. Nie rywalizuj więc z partnerką, lecz uzupełniajcie się. Dopełniajcie się i w tej kwestii jak „dwie połówki jabłka".

Jako ojciec musisz być prawdomówny względem swego dziecka. Nie powinieneś go oszukiwać nawet w drobnych, z pozoru niewiele znaczących sprawach. To nikomu nie służy. Równie ważne jest okazywanie szczerego zainteresowania. Cóż z tego, że malec będzie wiedział, że nie kłamiesz, jeśli zarazem wyczuje, że nie interesują Cię jego problemy? Dziecko, gdy już Ci zaufa, samo zacznie się zwierzać ze swoich problemów. W ten sposób staniesz się bliskim powiernikiem i przyjacielem. Pomożesz mu przetrwać trudne chwile. Pamiętaj,

że i tu aktualna jest zasada: zaufanie rodzi zaufanie.

Jednym z największych błędów popełnianych przez ojców jest ośmieszanie, wyśmiewanie i dokuczanie dziecku w sprawach dla niego ważnych. Tak, tak, takie rzeczy, niestety, bardzo często się dzieją. A nie powinny, bo dziecko też człowiek i jak każdy z nas chce i lubi być traktowane poważnie.

★ Relacje z matką dzieci

Czy pamiętasz, jak Twój ojciec odnosił się do Twojej mamy, gdy byłeś mały? Czy według Ciebie traktował ją właściwie? Wspomnienia z domu rodzinnego zostawiają zadziwiająco trwałe ślady w naszych głowach. Nawet jeśli nas samych bezpośrednio nie dotyczą. Obserwując związek swoich rodziców, mimowolnie zapisałeś w głowie obraz, który potem odtwarzasz, gdy sam zakładasz rodzinę. Istnieje prosta zależność: jakość stosunków, jakie panowały między Twoimi rodzicami (i jej rodzicami), bezpośrednio oddziałuje na jakość Twoich relacji z partnerką.

Ta wiedza i pamięć to kolejny element mający wpływ na to, jakim jesteś tatą. Jeśli sprawy między Wami – rodzicami – są poukładane, to z dużym prawdopodobieństwem wychowanie dzieci też przebiega w sposób zgodny i bezkonfliktowy. Stanowicie dla Waszych pociech wzorce ojca i matki, z których one będą czerpać, wychowując kiedyś swoje dzieci.

Pogódź się z tym, że szczególnie w pierwszych latach jego życia jesteś dla dziecka wzorem mężczyzny, taty i... męża. Oprócz tego jesteś oczywiście superbohaterem, czarodziejem, gwiazdą sportu i czym sobie tylko zażyczysz być.

Maluchy to świetni obserwatorzy, potrafią w lot wyczuć, gdy między Tobą a partnerką coś zazgrzyta. Często rodzicom wydaje się, że dziecko niczego nie podejrzewa. Są zaskoczeni, gdy nagle okazuje się, że ich kamuflaż i udawane szczęście nie zmyliło dziecięcych oczu. Jeśli jesteś czuły i dobry dla syna lub córki, ale w stosunku do ich matki okazujesz szorstkość, oschłość, poniżasz ją czy też chcesz zdyskredytować w oczach dzieci – nic dobrego z tego nie wyniknie. W takiej rodzinie nigdy będą one do końca szczęśliwe, radosne i beztroskie.

Podstawą udanego ojcostwa jest więc udany związek. Warto więc zadbać, aby był on jak najlepszy. No dobrze, możesz zapytać, a co zrobić, jeśli nie możecie i nie chcecie już ze sobą być? Cóż, aby być wspaniałym ojcem, niekoniecznie trzeba pozostawać w związku z matką dziecka. Zwłaszcza że taka farbowana rodzina uczy fałszu, obłudy i zakłamania. Jeśli decydujesz się więc na opuszczenie domu i pozostawienie dzieci z ich matką, pamiętaj, że to nie z dziećmi się rozstajesz. Nie jesteś zwolniony z ojcowskiej miłości i troski. Nie tylko w niedzielę, ale zawsze i na zawsze. Masz być obecny w życiu dziecka. Uczestniczyć w rozdaniu szkolnych świadectw czy zaprowadzić do dentysty. To, że z nim już nie mieszkasz, ma prawo stanowić co najwyżej drobną niedogodność. Jest telefon, Internet i co tam jeszcze chcesz. Ważne, abyś nie stracił z dzieckiem kontaktu i aby ono wiedziało, że nadal je kochasz tak samo jak przedtem.

★ DOBRA KOMUNIKACJA

Twoje dzieci potrzebują i oczekują od Ciebie, że będziesz się z nimi komunikował. Taki obustronny niezakłócony kontakt jest możliwy tylko wtedy, gdy jesteś wobec dziecka szczery, otwarty i właśnie komunikatywny.

Kiedy rozmawiasz z córką lub synem, możesz albo poprzestać na ogólnikach i ślizgać się po temacie, nie sięgając sedna, albo spróbować otworzyć się przed nimi. Nie jest łatwo pierwszy raz podzielić się przeżyciami, przemyśleniami czy też wyczerpująco opowiedzieć o sukcesach i porażkach. Nie tłumacz się sam przed sobą, że „dziecka to nie interesuje". Nic bardziej błędnego. Od najmłodszych lat dzieci bardzo interesują się Twoimi sprawami. Oczekują też, że i Tobie nie jest obojętne, co one porabiały przez cały dzień spędzony przez ciebie w pracy. Znakomitą okazją na opowiedzenie sobie o wszystkim jest czas przed zaśnięciem. Wtedy można dziecka wysłuchać, a gdy trzeba, pocieszyć je lub mu coś doradzić.

O sprawach dotyczących całej rodziny najlepiej jest rozmawiać przy wspólnym posiłku. Wierz mi, że codzienna rodzinna kolacja ma znakomite walory komunikacyjne. Jeśli oczywiście nie zamienia się w koszarową lekcję „dobrego wychowania".

★ OCZEKIWANIA DZIECI

Dzieci mają wobec Ciebie, ojcze, bardzo konkretne i nieskomplikowane oczekiwania. Chcą, by ich ojciec był wobec nich czuły i kochający, poświęcał im swój czas. Marzą też, choć niektóre z trudnością się do tego przyznają, żeby ich tata od czasu do czasu je po prostu przytulił, pocałował. Oczywiście pragną też wspólnej zabawy.

★ AUTORYTET

Szczególnie istotne z punktu widzenia malucha jest to, że ważny duży człowiek, czyli Ty, poświęca mu swój czas i uwagę. Pomagasz, gdy potrzebuje pomocy, bronisz, gdy oczekuje ochrony. Tak właśnie budujesz swój autorytet, który jest niezwykle ważnym elementem, jakim powinien odznaczać się dojrzały ojciec.

Autorytetu nie masz z nadania. Musisz go sobie wypracować. Mozolnie i systematycznie.

Jak zdobyć autorytet? Niestety, wielu ojcom nie udaje się w naturalny sposób stać się dla swojego dziecka autorytetem, a ponieważ jest to dla nich ważne, próbują to osiągnąć w inny sposób. Nie tworzy się go, pokazując siłę, upór czy złość. Nie buduje się go poprzez nakazy, zakazy i przemoc.

Ale mimo to niektórzy ojcowie krzyczą na dzieci, stosują względem nich przemoc. Stają się despotami. Droga ta prowadzi donikąd. W ten sposób wywołasz co najwyżej lęk. Dzieciństwo pełne strachu niekorzystnie wpływa na rozwój emocjonalny dziecka.

Do tego, żeby być autorytetem dla dziecka, niepotrzebne jest zajmowanie kierowniczego stanowiska w pracy, posiadanie wysokiego statusu społecznego czy bycie bogatym.

Pierwsze wysiłki zmierzające ku dobremu i pełnowartościowemu ojcostwu nie zawsze są proste i nie muszą być od razu skuteczne. Nikt z nas nie rodzi się przecież od razu dobrym tatą czy mamą. Wiele umiejętności musisz wypracować w sobie samodzielnie. Nie zapominaj też o partnerce. Rodzicielstwo to nie rywalizacja o względy dziecka, lecz współpraca i bezustanne pomaganie sobie nawzajem. Ważne jest jednak, żebyś się nie zniechęcał. Trudno bowiem znaleźć coś, co bardziej warte jest Twego zaangażowania niż wychowanie dziecka.

Zanim staniesz się dojrzałym ojcem, czeka Cię wiele pracy. Z czasem jednak, jeśli nie zabraknie Ci konsekwencji, uporu, a przede wszystkim miłości, dojdziesz do przekonania, że tatowe zajęcie nigdy się nie kończy.

★ UCZUCIA

Podstawową cechą miłości rodzicielskiej, zarówno matczynej, jak i ojcowskiej, jest jej bezwarunkowość. Ważne jest też okazywanie tej miłości. Oczywiste jest, że każdy z nas jako dziecko potrzebował czułości ze strony własnego taty. Niestety, nie wszyscy mieli szczęście ją otrzymać. Wielu ojców wciąż popełnia poważny błąd, okazując swoje uczucia wobec dziecka tylko wtedy, gdy dokona ono czegoś znaczącego.

W ten sposób dajesz, drogi tato, sygnał nie najlepszy. Otóż, informujesz między wierszami swoje dziecko, że kochasz je za osiągnięcia. To niezły gips, panie ojcze. Zarówno ja, jak i Twoja pociecha nie możemy się z pogodzić z taką postawą. Jest nieprawidłowa i niesprawiedliwa. Dziecko chce, byś je kochał za to, że jest, a nie za to, jakie jest. Takie wydzielanie uczuć za „bycie dobrą córeczką czy synkiem" powoduje dość smutne konsekwencje.

Mimo że dziecko bardzo stara Ci się przypodobać, nie zawsze mu się to udaje. W końcu to przecież jeszcze dziecko. Maluch chce być coraz lepszy i nigdy nie jest do końca z siebie zadowolony. Często czuje niedosyt i martwi się, że nie jest dość wartościowe. W przyszłości prawdopodobnie stanie się wierną kopią własnego ojca, który własne frustracje i porażki przerzuca na dziecięce barki.

Twoim zadaniem jako rodzica jest nauczenie dziecka godnego i konstruktywnego przeżywania ciosów od życia, porażek. Oczekując, że dziecko będzie umiało przyznać się do błędu, nie stawaj nad nim jak kat nad dobrą duszą, gdy tylko coś mu nie wyjdzie.

Nie ma nic wstydliwego, jeśli powiesz swojemu dziecku, że kochasz je najbardziej na świecie.

★ POMOC W ROZWOJU

Ważne jest, byś pamiętał o kolejnej regule wychowania. Niezmiernie istotne jest nie-ograniczanie dziecka w jego rozwoju. Nie wolno Ci także hamować jego naturalnej potrzeby poznawania świata. Powinieneś raczej za nim umiejętnie podążać, dyskretnie pomagając omijać mielizny, jakich nie brak w otaczającym nas świecie. Poza tym dziecko powinno czuć chociaż odrobinę wolności. Jeżeli będziesz na siłę próbował wmusić swemu dziecku pewne, niechby i najsłuszniejsze zasady, to pociecha nie będzie chciała ich przestrzegać. Im bardziej będziesz naciskał, tym bardziej ono będzie stawiać opór. Dzieckiem trzeba umiejętnie pokierować. Znajdź argumenty i cierpliwie tłumacz mu świat, ale staraj się niczego nie narzucać. Próbuj raczej podsuwać różne myśli i licz na to, że syn, córka, opierając się na Waszych wzorcach, będą się kierowali w życiu zasadami, które akceptujesz i chcesz im przekazać.

Być dobrym ojcem nie jest łatwo. Bo i po co byłaby wtedy ta książka? Sam fakt, że teraz czytasz, jak stać się supertatą, napawa mnie dumą. Zrobiłeś wysiłek. Tak trzymać! Nie można wziąć sobie urlopu od bycia dobrym tatą. Nie da się przez jakiś czas mieć chłodnych stosunków z dzieckiem i nagle oczekiwać, że obdarzy Cię ono miłością i zaufaniem.

TYPY OJCÓW

Nie każdy z ojców jest ojcem wzorowym. Może raczej powinnam napisać, że są oni w zdecydowanej mniejszości. Wielu z was w ogóle lub prawie w ogóle nie uczestniczy w życiu rodziny. Są na szczęście jednak tacy jak Ty, którzy pomagają, wspierają swoje dzieci i starają się je zrozumieć. Najogólniej można powiedzieć, że jest wielu różnych ojców. Poniżej przedstawiam trochę uproszczoną próbę skatalogowania typów tatusia. W psychologii wyróżnia się cztery podstawowe typy: trujący, nieobecny, słaby i dobry.

★ OJCIEC TRUJĄCY

To chyba najgorszy z ojcowskich typów. Tacy tatusiowie nie potrafią kochać swojego dziecka za to, że jest. W ich sercach miłość albo w ogóle nie istnieje, albo występuje okresowo po spełnieniu przez dziecko określonych warunków. Innymi słowy, dziecko musi coś zrobić, mieć jakieś osiągnięcia, żeby mogło być kochane przez tatę.

Charakterystyczne dla tych ojców jest to, że czasem wobec swojej rodziny używają przemocy. Zazwyczaj nie traktują kar fizycznych jako czegoś złego. Uważają, że dziecko postąpiło źle, więc należy je ukarać. W ich rozumieniu nie wyrządzają swemu dziecku żadnych szkód. Nic więc dziwnego, że to właśnie tacy ojcowie, kiedy mówią o sobie, przedstawiają się w samych superlatywach. Co więcej, często uważają, że nieciekawa atmosfera rodzinna jest spowodowana przez partnerkę albo przez dzieci. Do siebie natomiast nie mają żadnych zastrzeżeń.

Dzieci takich ojców boją się świata. Czują się niedowartościowane i niedocenione. Nierzadko cierpią na depresję, nerwice itp. Trujący ojcowie żyją w trujących domach. W wielu z nich, bezwolne i bezradne matki obserwują agresywne zachowania partnera. Nie robią jednak nic, by przeciwdziałać. Kierują nimi różne pobudki, ale najczęściej boją się przeciwstawić lub starają się utrzymać pozory dobrej rodziny. Niestety, taka postawa nie jest konstruktywna dla dziecka, a mama, chociaż nic nie robi, też w pewnym sensie zachowuje się jak tyran.

Co sprawia, że ojciec jest trujący? Odpowiedzi są różne. Często taka postawa wynika z błędnego przekonania, że dziecko jest własnością rodziców, a w związku z tym mają oni pełne prawo, by karać swoją pociechę, kiedy tylko zechcą i w sposób, jaki im przyjdzie do głowy. Nikt z nimi nie rozmawiał, więc sami nie czują takiej potrzeby. Stosują przemoc, bo innej kary nie znają. W grupie agresywnych ojców sporą część stanowią osoby, które same były w dzieciństwie bite. Tu nie będzie komentarza.

★ OJCIEC NIEOBECNY

To typ, niestety, najczęściej występujący. Z roku na rok coraz więcej dzieci wychowuje się w domu bez ojca. Nie chodzi w tym przypadku jedynie o fizyczną nieobecność w domu. Taki tata może nawet mieszkać pod jednym dachem z dzieckiem, ale ich kontakty właściwie nie istnieją. Ojciec nic albo prawie nic nie wie o swoim dziecku. Z czasem zanika również dziecięca potrzeba bliskości i więzi z tatą.

Najczęstszą przyczyną takiej sytuacji są (według tych, którzy wyróżniają ów ojcowski typ) nieporozumienia partnerów, nieodpowiedzialność mężczyzny, niechęć lub nieumiejętność udziału w życiu rodzinnym, co w efekcie prowadzi do tego, że dziecko jest wychowywane przez matkę.

Dzieci wychowywane przez osamotnione emocjonalnie matki mogą mieć gorsze szanse niż ich rówieśnicy ze zdrowych i pełnych domów. Jest tak, bo kobieta samodzielnie musi się uporać z trudami rodzicielstwa. Takie mamy częściej są nadopiekuńcze i nadmiernie chroniące, wskutek czego takim dzieciom jest się dużo trudniej usamodzielnić.

Bywa, że między partnerami jest wyraźnie zarysowany podział obowiązków, który polega na tym, że kobieta zajmuje się prowadzeniem domu i wychowywaniem. Takie postępowanie prowadzi do tego, że ojciec stopniowo izoluje się od sprawowania opieki nad dzieckiem. Bardzo często nieobecność psychiczna ojca przekłada się na relacje między rodzicami, którzy również stopniowo oddalają się od siebie. Ojciec nieobecny to taki, którego nie ma, choćby i był.

★ OJCIEC SŁABY

Ta słabość wynika z faktu, że niektórzy mężczyźni nie dorastają do tego, by być ojcami. Jeszcze zbyt wcześnie dla nich na powagę ojcowych zadań. Może też zostają przytłoczeni przez partnerki, perfekcjonistki, które mają wszystko do bólu zaplanowane ustalone i przygotowane. Facet wówczas po prostu podaje tyły i ucieka w drzemiące w nim wciąż jeszcze dziecko. Jego zachowanie jest w psychologii określane jako syndrom Piotrusia Pana.

Tacy mężczyźni nie są w stanie zająć się poważnie swoimi obowiązkami. Ich partnerki najczęściej zachowują się wobec nich jak matki. Pogarszają tym jeszcze sytuację. Postawa matkująca nie jest dobra, gdyż sprowadzeni do społecznego parteru przez matko-żony ojcowie czują się jeszcze bardziej nieodpowiedzialni. Wszystkie polecenia zostają im podane jak na tacy. Nie muszą się troszczyć, by coś zorganizować. Wręcz niewskazane jest, aby zbyt wiele myśli przechodziło im pomiędzy uszami. Wszystko bowiem jest na głowie ich ukochanej, która postanowiła poprowadzić statek „Rodzina" przez rafy i sztormy samotnie i dzielnie dzierżąc ster.

Ojciec słaby najczęściej jest traktowany przez swoje małe dzieci jak kolega. Nie może jednak do końca sprostać tej roli, gdyż z czasem jest już za stary dla swojej pociechy. Przestaje też czuć się dobrze w takiej roli. Przez starsze dzieci może być traktowany protekcjonalnie lub lekceważąco. Z jednej strony widzi w sobie ojca rodziny, a z drugiej nadal czuje się jak beztroski nastolatek. No, powiedzmy, do pewnego stopnia. Ojciec słaby nie stanowi dla rodziny oparcia i na ogół nie potrafi zapewnić swojej rodzinie poczucia bezpieczeństwa.

★ OJCIEC DOBRY

Dobry ojciec oprócz tego, że kocha swoje dziecko bezwarunkowo, stawia też wymagania. Miłość to nie tylko głaskanie po głowie, czułość, to także zasady i normy, którym trzeba sprostać, a które pomogą w życiu. Dobry ojciec przygląda się poczynaniom swojej pociechy, a w razie problemów zawsze służy radą i nigdy nie odwraca się, gdy dziecko go potrzebuje.

Dobry ojciec powinien być zawsze obecny – zarówno duchowo, jak i fizycznie. Taki tatuś troszczy się o dzieci. Wie, kto jest najlepszym kolegą z klasy swojego dziecka. Jednocześnie zawsze ma czas, by porozmawiać ze swoją pociechą. Nie oznacza to, że musi porzucić obowiązki zawodowe, ale praca nie jest w takim wypadku na pierwszym miejscu.

Jest autorytetem dla dziecka. Na podkreślenie zasługuje fakt, że staje się on tak ważny nie przez swoje zdolności czy tyranię, lecz przez to, że kocha swoje dzieci i zawsze ma dla nich czas. Ponadto przy nim rodzina czuje się bezpiecznie.

Dobry ojciec nie wyręcza dziecka. Chce, by ono samo się czegoś nauczyło. Wcale nie ułatwia mu życia. Musi ono bowiem samo odkryć, co jest najważniejsze, samo dojść do celu. Rodzina, w której panują prawidłowe relacje, jest szczęśliwa i pozwala na rozwój dziecka. Wszyscy są dla siebie życzliwi. Matka nie przerzuca uwagi tylko na dziecko, ale dzieli ją pomiędzy wszystkich członków rodziny. Dzieci nie czują się bardziej czy mniej przywiązane do jednego z rodziców, gdyż wiedzą, że obydwoje kochają je w takim samym stopniu. Mają też świadomość, że zawsze mogą w nich znaleźć oparcie i zrozumienie.

Szczęśliwe dzieciństwo to dobre fundamenty, na których można śmiało budować swoje dalsze życie.

OJCIEC – WZÓR I ANTYWZÓR

W kulturze współczesnej istnieją dwa konkurujące ze sobą wzorce męskości:

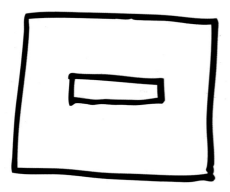

TRADYCYJNY

– ujmuje męskość jako dominację, a także jako specjalizację w pewnych określonych dziedzinach. Ten model opiera się na zróżnicowaniu i podziale pełnionych ról. Ład i porządek osiągany jest poprzez wzajemne uzupełnianie się cech męskich i kobiecych. Z przewagą męskich, rzecz jasna.

Ten wzorzec (mimo że nie jest przechowywany w Sevres pod Paryżem) wymaga od mężczyzny podporządkowania sobie wszystkich innych mężczyzn, ale także kobiety oraz dzieci. Mężczyzna taki jest twardym i silnym władcą. Znaczy to także konieczność tłumienia i skrywania w sobie uczuć i emocji. W ten sposób przed mężczyzną zamyka się droga do pełni ludzkich uczuć, emocji i doświadczeń.

Przywództwo mężczyzny w rodzinie wiąże się ze stereotypowym postrzega-

niem męskości. W tradycyjnym modelu wychowania przyjęte jest więc, że ojciec jako mężczyzna posiada naturalny autorytet u dzieci. I to z tego powodu powinny one okazywać mu szacunek i respekt. Mężczyzna jest ostoją dyscypliny dzieci, bywa groźny i karzący.

Taki tradycyjny ojciec uczestniczy w wychowywaniu dziecka, ale inaczej niż matka. Obowiązkowo musi być stanowczym wychowawcą, ale rzadko jest partnerem czy opiekunem dzieci. Ojciec prezentujący taki wzorzec jest emocjonalnie daleki od dzieci, nie poświęca czasu na opiekę nad nimi. Uznaje bowiem, że funkcje emocjonalne i opiekuńcze przypisane są kobiecie.

W tradycyjny modelu rodziny zakłada się, że ojciec pracuje zawodowo, a matka pozostaje w domu, zajmując się dziećmi i domem. Mężczyzna kieruje jej poczynaniami. Chociaż taki mąż formalnie powinien okazywać szacunek żonie, nie jest zobowiązany w żaden sposób do wspólnego podejmowania decyzji, do niego zawsze należy ostatnie słowo.

W przysiędze małżeńskiej jest jednak coś o prawach i obowiązkach. Jest nawet i o świadomości tychże.

NOWOCZESNY

– akcentuje równość oraz partnerstwo mężczyzn i kobiet. Uznaje je za wartości podstawowe. Funkcjonowanie mężczyzny opiera się więc na współdziałaniu, a nie na dominacji. Mężczyzna jest partnerem dla kobiety i dzieci. Nowy wzorzec pozwala na eksponowanie cech typowo męskich, jak i kobiecych. Dzięki temu pozwala w naturalny sposób na osiągnięcie pełni potencjału człowieka, a co za tym idzie coraz więcej mężczyzn dochodzi do wniosku, że warto bardziej angażować się w życie rodzinne i opiekę nad dzieckiem.

Współcześni i nowocześni mężczyźni zauważyli, że model ten dostarcza nowych doświadczeń i pozwala na pełniejsze życie emocjonalne i uczuciowe. Jest również korzystny dla ich zdrowia psychicznego.

Można powiedzieć, iż tradycyjny stereotyp męskości – a do niego sprowadza się duża część wzorów ojca – okalecza emocjonalnie mężczyznę. Na szczęście dla coraz większej liczby tatusiów to tylko historia.

Co do tego, jaki wzorzec męskości prezentujesz lub/i preferujesz... no cóż, można uwielbiać oldschoolowe syrenki. Ale chyba bardziej będzie Ci do twarzy w nowym złotym Jagu? Czyż nie?

zadania do wykonania

- ☐ ZAPROŚ (JEŚLI MOŻESZ) SWOJEGO OJCA
  NA SPACER, DO KINA, NA MECZ. SPĘDŹCIE
  POPOŁUDNIE, POWSPOMINAJCIE.

- ☐ ZRÓB SOBIE RACHUNEK SUMIENIA I ZORIENTUJ
  SIĘ, JAKI TYP MĘŻCZYZNY PREZENTUJESZ.
  ODPOWIEDZ SOBIE NA PYTANIE, CZY JESTEŚ
  Z SIEBIE ZADOWOLONY.

- ☐ POROZMAWIAJ O SWOICH WNIOSKACH
  Z PARTNERKĄ.

- ☐ ZRÓB LISTĘ (MOŻE BYĆ W GŁOWIE) TEGO,
  CO CHCIAŁBYŚ W SOBIE ZMIENIĆ
  – JAKO MĘŻCZYZNA-PARTNER I JAKO OJCIEC.

PODSUMOWANIE...❀...

DROGI SUPERTATO, DZIĘKUJĘ,
ŻE DOBRNĄŁEŚ DO KOŃCA TEJ KSIĄŻKI.
PEWNIE W TRAKCIE LEKTURY NIERAZ DOCHODZIŁEŚ
DO WNIOSKU, ŻE WIESZ TO WSZYSTKO, ŻE TAK
WŁAŚNIE WYCHOWUJESZ SWOJE DZIECKO, A EFEKTÓW
JAKOŚ NIE WIDAĆ.
ŁATWO JEST ZOSTAĆ OJCEM (MÓWIĄ, ŻE TRWA
TO CHWILKĘ), ALE BYĆ ♡TATĄ♡ TO ZUPEŁNIE
CO INNEGO.

Pamiętaj, tatą nie jesteś dla siebie, jesteś nim dla dziecka.

Wśród wielu ojcowskich obowiązków jest jeden najważniejszy: Kochać swoje dziecko, okazywać mu miłość i szacunek.

Czasem może Ci się wydawać, że odpowiedzialność, jaka na Tobie spoczywa, przerasta Twoje możliwości.

W chwilach zwątpienia, gdy wydaje Ci się, że na nic trud i zapał włożony w wychowanie dziecka, a zamiast światełka w tunelu dostrzegasz biały blask, ku któremu masz podążać, pamiętaj o kilku rzeczach.

W dzisiejszych trudnych czasach stworzenie ciepłego domu rodzinnego wymaga od ciebie wysiłku o wiele większego niż dawniej. Masz coraz mniej czasu dla swoich bliskich. Bywa, że zapominasz o tym, że rodzicielstwo to najpiękniejsze, co mógł Ci w darze przynieść los.. Bywa, że miewasz ochotę gryźć tynk ze ścian.

Nie możesz się jednak poddawać. Twoje dziecko potrzebuje silnych, mądrych i kochających rodziców. Ciebie też.

> W tej książce starałam się pokazać Ci, że przy odrobinie wysiłku, dobrej woli i chęci możesz być wspaniałym tatą. Pamiętaj jednak, aby Ci się powiodło, musisz kochać swoje dzieci mądrze i najbardziej na świecie.

Rozmawiaj ze swoją kobietą tak często, jak tylko jest to możliwe. Dyskutuj o wszystkim. W wychowywaniu dziecka nie ma spraw mniej i bardziej ważnych..

Zanim zastosujesz którąkolwiek z podanych w książce rad, pomyśl chwilę i zastanów się, pamiętając, że najważniejsze jest szczęście dziecka.

Wtedy na pewno będzie Ci łatwiej rozwiązać każdy problem.

Nie ma dwu takich samych rodzin, każdy z jej członków jest wyjątkowy i niepowtarzalny.

Tak naprawdę tylko Ty i oczywiście Twoja partnerka wiecie najlepiej, jak poradzić sobie z rozkapryszonym urwisem. Jako SUPERTATA musisz wiedzieć, co, jak i kiedy robić.

Mam nadzieję, że ta książka trochę Ci w tym pomoże..

I pora na ostateczne podsumowanie:

CO SUPERTATA MUSI ZROBIĆ DLA SYNA?

★BĄDŹ OBECNY. MAŁY MĘŻCZYZNA OTOCZONY JEST ZEWSZĄD PRZEZ KOBIETY: MAMA, PRZEDSZKOLANKA, NAUCZYCIELKA, BABCIE, CIOCIE, NIANIA. DLATEGO WŁAŚNIE, ABY ZACHOWAĆ RÓWNOWAGĘ, CHŁOPCY TAK BARDZO POTRZEBUJĄ KOGOŚ TEJ SAMEJ PŁCI. NIE TRZEBA PRZENIKLIWOŚCI KLOSSA, ABY DOMYŚLIĆ SIĘ, ŻE DLA TWOJEGO SYNA POWINIENEŚ TO BYĆ TY.

DLACZEGO? BO TYLKO TY POTRAFISZ GO ZABRAĆ NA WYPRAWĘ W SWÓJ ŚWIAT I PUSZCZAJĄC OKO, POWIESZ: FAJNIE JEST BYĆ MĘŻCZYZNĄ.

★USTANAWIAJ GRANICE, BĄDŹ KONSEKWENTNY. Z DZIECKIEM NA CO DZIEŃ JEST MAMA, I TO ONA PRZEDE WSZYSTKIM USTALA NORMY I ZAKAZY. TYLKO ONA UMIE ZAPANOWAĆ NAD ROZBRYKANYM MALCEM. ZA TO TATA JEST OD ROZRYWEK: OGLĄDANIA MECZU, KUPOWANIA ZABAWEK. TAKA SYTUACJA ZABURZA RÓWNOWAGĘ W DOMU. SPRAWIA, ŻE KIEDY MALEC COŚ PRZESKROBIE, SZUKA SPRZYMIERZEŃCA W OJCU. MOŻE OD RAZU ZAKUP MU KOSZULKĘ Z NAPISEM, JEŚLI MOJA MAMA POWIE NIE, TO MÓJ TATA ZAWSZE POWIE TAK .

★BAW SIĘ I OKAZUJ UCZUCIA. CHŁOPCY W KAŻDYM WIEKU UWIELBIAJĄ ZWARIOWANE, PEŁNE „SZALEŃSTWA" ZABAWY I SPORTOWE WSPÓŁZAWODNICTWO. POWINNI JEDNAK WIDZIEĆ, ŻE TATA - NIEUSTRASZONY WOJOWNIK - POTRAFI BYĆ DELIKATNY I CZUŁY. PRZYTULI, KIEDY MAŁY ZORRO OBETRZE KOLANA I PRZYKLEI PLASTER, TAK ŻE NIC NIE BĘDZIE BOLAŁO.

★POZWÓL NA BŁĘDY (RÓWNIEŻ SOBIE). CHŁOPCY SZYBKO DOWIADUJĄ SIĘ, ŻE TATA NAJSZYBCIEJ BIEGA, UMIE ZBUDOWAĆ LATAWIEC I NAPRAWIĆ SZAFKĘ W KUCHNI. ALE OSTROŻNIE! CHODZĄCY IDEAŁ TATY MOŻE BYĆ PRZYTŁACZAJĄCY DLA SYNA. DOBRZE, JEST, GDY UMIESZ POKAZAĆ SWOJE SŁABSZE PUNKT I CZASEM POZWOLISZ PRZEDSZKOLAKOWI WYGRAĆ W MEMORY.

★POMÓŻ SYNKOWI ZIDENTYFIKOWAĆ SIĘ Z JEGO MĘSKOŚCIĄ. KIEDY CÓRKA BAWI SIĘ SAMOCHODEM, TO WSZYSTKO JEST W PORZĄDKU. ALE GDY SYN SIĘ PRZEBIERA, TATA PATRZY NA TO Z PRZERAŻENIEM... TO NIC ZŁEGO. POKAŻ DZIECKU, ŻE NIE MASZ NIC PRZECIWKO TEMU I NADAL TRAKTUJESZ GO JAK CHŁOPCA, MUSI MIEĆ NIEZMĄCONĄ NICZYM PEWNOŚĆ: TATA KOCHA MNIE TAKIM, JAKIM JESTEM. TEGO NIC NIE ZMIENI.

★PREZENTUJ POZYTYWNY WZÓR MĘŻCZYZNY. OCZYWIŚCIE - TYM WZOREM POWINIENEŚ BYĆ TY. POKAZUJ SIEBIE W RÓŻNYCH SYTUACJACH. DBAJ O RODZINĘ, POMAGAJ W PRACACH DOMOWYCH, MIEJ HOBBY, AKTYWNIE SPĘDZAJ CZAS.

CO SUPERTATA MOŻE ZROBIĆ DLA CÓRKI?

★ NIE BĄDŹ NADOPIEKUŃCZY. TO DOMENA MAMY.

★ PRAW KOMPLEMENTY. OJCOWSKIE KOMPLEMENTY WZMOCNIĄ W DZIEWCZYNCE POCZUCIE WŁASNEJ WARTOŚCI. MAŁE KOBIETKI MARZĄ O TYM, BY TATUSIOWIE JE CHWALILI I UWAŻALI ZA NAJPIĘKNIEJSZE.

★ UCZ PODEJMOWANIA DECYZJI. TATA JEST ODWAŻNY I PRZY NIM ZAWSZE JEST BEZPIECZNIE. NIE PRZEKREŚLAJ Z GÓRY DZIECIĘCYCH POMYSŁÓW. DAJ CÓRCE SPRÓBOWAĆ, OBSERWUJĄC I DBAJĄC, ABY NIC ZŁEGO SIĘ NIE STAŁO.

★ NIE DAJ SIĘ MAŁEJ KRÓLEWNIE ZDOMINOWAĆ. JEŚLI JESTEŚ „NIEDZIELNYM TATĄ" I ZABIEGASZ O LEPSZE RELACJE Z CÓRKĄ (TAKIE, JAKIE MA MAMA), NIE DAJ SIĘ ZWARIOWAĆ. DZIECKO BŁYSKAWICZNIE SIĘ UCZY, ŻE MOŻE SOBIE NA WIELE POZWOLIĆ I WYKORZYSTUJE TO W KAŻDEJ SYTUACJI.

★ BĄDŹ CZUŁY I OPIEKUŃCZY DLA SWOJEJ PARTNERKI. POPRZEZ SPOSÓB, W JAKI ODNOSISZ SIĘ DO JEJ MAMY, POKAZUJESZ CÓRCE, CZEGO POWINNA OCZEKIWAĆ W PRZYSZŁOŚCI OD SWOJEGO ZWIĄZKU.

NA ZAKOŃCZENIE JESZCZE JEDNO.
PAMIĘTAJCIE O NAJWAŻNIEJSZYM:
MIŁOŚĆ I WZAJEMNY SZACUNEK
TO PODSTAWOWE SKŁADNIKI RECEPTURY NA UDANĄ
I SZCZĘŚLIWĄ RODZINĘ.

POZDRAWIAM WAS SERDECZNIE I CIEPŁO!
DOROTA ZAWADZKA
SUPERNIANIA